프로젝트 처음

저도
교사는
처음이라

저도
교사는
처음이라

개정판

사회 초년생 교사 6인의
학교 안팎 인터뷰집

프로젝트 처음
김성은 정휘범 황선영

차례

여는 글

두둥. 졸업을 했다. 짧게는 1년, 길게는 4년의 시간 동안 아등바등 교사가 될 준비를 해왔다. 점점 좁아져 가는 임용고시라는, 그렇게도 통과하고 싶었던 문을 마침내 열어젖혔다. 감격의 졸업과 함께 무얼 하면 좋을지 모르는 발령 전 기다림의 시간이 지났다. 그리고 어느 날 아침. 교육청으로부터 문자 메시지가 도착했다. '발령장을 받으러 오세요.' 그렇게 교사가 되었다.

처음 출근하는 날. 교무실 문을 열고 전날 뵈었던 교감 선생님께 인사를 했다. 단정하게 차려입은 옷매무새를 고치며 아침 방송의 카메라 앞에 섰다. 새로 온 선생님으로 나를 소개하시는 교장 선생님. 아무리 준비해도 떨리는 마음은 준비되지 않더라. "안녕하세요 여러분, 제 이름은..." 그렇게 나의 '첫 학교'가 시작되었다.

교사에게는 누구나 첫 학교의 시간이 있다. 기대와 현실, 열정과 낯섦이 뒤섞인 이 시간과 공간에서 우리는 여러 가지 처음을 경험한다. 첫 담임을 하는 아이들을 만난다. 처음 맡은 업무분장이 이후에도 졸졸 따라다닌다. 직장인으로 받는 첫 월급이 통장에 찍힌다. 별표 달린 아이를 만나 교직에 회의감을 품기도 한다. 나는 첫 학교를 어떻게 지내왔던가. 그리고 지금의 '첫 학교러'들은 어떤 삶의 결을 그려내고 있을까?

여기 몇몇 '첫 학교러'들이 있다. 직장일 뿐인 학교를 관성처럼 오가는 교사. 이르다면 이른 나이에 노조의 장으로 일하는 교사. 처음 가본 섬마을로 발령이 난 교사. 가르침에 대한 열정과 내적 동기를 고민하는 교사. 학교와 육아의 두 가지 직장에 출퇴근을 반복하는 교사. 힘든 학급을 만나 죽을 뻔한 한 해를 겨우 넘긴 교사. 이들의 교직 생활에는 앞선 단순한 문장으로는 결코 담아낼 수 없는 깊고 넓은 이야기가 배어 있다.

모든 이에게는 자신만의 이야기가 있다고 믿는다. 누군가 물어봐 주기만을 기다리는, 질문함으로써 들을 수 있는 이야기가 우리에게는 있다. 할 수 있다면 모든 선생님에게 묻고 싶은 질문을 여기 몇 사람의 첫 학교러에게 건네보았다. 그들 안에 있는 이야기가 손을 내밀더라. 이 책을 읽는 당신이 그들의 이야기 속에서 자신만의 특별한 이야기를 발견하기를 바란다.

김종훈
성신여자대학교 교수

세 저자가 여섯 명의 교사를 만나 '처음'을 이야기한 <저도 교사는 처음이라>가 우리에게 건네는 메시지는 분명하다. 누구에게나 어떤 일이든지 시작이 있기 마련이고, 비슷해 보이지만 조금씩 다른 저마다의 처음에는 나름의 의미가 있다는 사실. 이렇게 이 책은 교직의 처음은 이래야 한다고 말하기보다, 이렇게 다채로울 수 있다는 사실을 가감 없이 보여준다.

첫 발령을 받은 학교에서 여섯 교사들은 무엇을 보고 느끼며 경험했을까? 직장인으로 하루를 관성의 법칙에 따라 학교를 오가는 김 선생님, 아는 것과 사는 것을 일치시키고자 부단히 애쓰는 정 선생님, 생각지도 못했던 섬마을로 발령을 받아 좌충우돌을 경험했던 곽 선생님, 학교 밖의 여러 경험을 통해 가르칠 힘을 충전하는 윤 선생님, 엄마이면서 교사로 출근과 퇴근의 모호한 경계를 오가는 김 선생님, 눈물 없이 들을 수 없는 황 선생님의 짠한 이야기까지 진솔한 목소리로 전해 오는 여섯 교사들의 이야기가 이 책에 오롯이 담겨 있다.

책을 읽으며 '이건 내 이야기야!'라고 말할 교사들이 적지 않을 거라 생각한다. 교실에서 아이들과 더불어 사는 사람이라면 한 번쯤은 겪었음직한 이야기가 담겨 있으니 말이다. 이 책에 많은 교사들이 공감하리라 기대하게 되는 이유다. 줄글이 아니라 인터뷰 형식을 따르다보니 진솔함을 넘어 때로는 너무 솔직한 거 아닌가 하는 생각이 들지도 모르겠다. 하지만 속살과도 같은 그 모습 그대로가 오늘을 살아가는 사회 초년생 교사들의 현실이다.

일전에 나는 저서 <교사, 함께 할수록 빛나는>에서 교사의 삶을 평범한 일상을 묵묵히 살아가기에 위대한, '평범함의 위대함이라는 역설'이 담긴 삶이라 정의한 적이 있다. 머리에서 나온 생각이 아니라, 많은 선생님들과 그들의 공동체를 통해 얻게 된 결론이었다. 이 책 또한 평범하지만 그렇기에 위대한 사회 초년생 교사들의 삶에 대해 이야기한다. 특별하지 않아서 오히려 의미 있는 교사들의 삶의 이야기가 우리에게 위로를 건넨다.

일차적으로 이 책이 생각하는 독자는 교사들이다. 그러나 이 책을 교사 아닌 많은 사람들도 읽었으면 한다. 책을 읽고 교사도 역시 '사람 냄새 폴폴 나는 존재구나!'하고 생각하기를 희망한다. 때론 학교를 향한 사회의 필요 이상으로 높은 기대가 선생님들의 말과 행동을 제한하고 있는 건 아닌지 하는 생각이 들기 때문이다. 굳이 무얼 하지 않는다 해도 교사들의 있는 모습 그대로 존중하는 일만으로도 이들에게는 큰 힘이 된다. 처음을 치열하게 살아왔을 여섯 명의 교사에게 존중과 응원의 마음을 보낸다.

❝

자기소개란에 그럴듯하게
적을만한 자아를 아직 찾지 못했다.

 김성은

직장 6년차

겁 많은 강아지 '퐁고' 누나. 자기소개란에 그럴듯하게 적을만한 자아를 아직 찾지 못했다. 나는 누구인가 탐색하며 멋진 사람들의 영향을 받으려 기웃거리던 중, 큰 그림 전문가 AI 쌤의 권유로 인터뷰집 작업에 참여하게 됐다.

아직은 내 주변만 열렬히 사랑하며 살고 있으나, 추후 인류와 지구를 통 크게 사랑하는 사람이 되는 꿈을 꾼다.

"

다른 사람들은 어떻게 살지?
어느 날 문득 궁금해졌다.

 정휘범
직장 13년차

마주하는 이의 삶의 결을 묻고 듣는 일에 재미를 느끼
다보니 사는 책도 유튜브 피드도 하는 짓도 결국엔 인터뷰더
라. 평소 계획성있게 큰 그림을 휙휙 그리는 밥 로스의 가면을
즐겨 썼던 덕분에, 함께 묻고 기꺼이 답해줄 고마운 사람들이
나타나 책 만들 용기를 냈다. 그리고 이제 이 책을 사 줄 용기
있는 사람들을 만나야겠지?

"

조금만 좋아보이는 것을 보면
"나도 저렇게 할래!"를 외치는 프로시작러.

 황선영
직장 6년차

5개쯤은 되는, 극단을 오가는 자아의 소유자. 하고 싶
고 되고 싶은 게 많지만 몸은 하나라 나룻배 마냥 시류에 휩쓸리
며 나만의 중심을 찾으려고 헤매고 있다. 좋아하는 단어는 자
유, 꿈, 생명. 동물과 여성과 어린이의 삶에 빛이 비추기를, 조금
이라도 거기에 일조하기를 바란다.

인터뷰1

관성처럼 고민 없이 다니고 있습니다

쳇바퀴에 올라탄
김보통 선생님

66

시간표대로 사는 거죠, 뭐.

인터뷰어 _ 황선영

'쳇바퀴 타듯이, 그러나 쳇바퀴에 탄 줄도 모른 채' 학교에 다니고 있다는 김보통 선생님. 학교 가기는 싫고 모든 걸 열심히 하는 것은 애진작에 포기했지만 그래도 '선생님'의 삶을 긍정하며, 교직을 바라보는 나름의 기준이 오히려 누구보다 명확하다. 고민하기도 머리 아파 생각 없이 다닌다고 단호하게 말하는 이면에서 그간의 변화 과정과 통찰력 있는 자기객관화를 엿볼 수 있었다. '보통의' 교사들이 공감하며 고개를 끄덕일 만한, 김보통 선생님의 삶과 생각을 묻고 들어보았다.

온라인 화상 인터뷰
2021년 1월 7일 오후 2시

관성처럼 고민 없이
다니고 있습니다

🎤 <u>오프닝</u>

발령은 언제인가요?

2015년 3월 1일이요.

올해가 몇 번째 아이들인가요?

6번째고 6년차예요. 계속 담임만 했어요.

평소 일과는 어떤가요?

시간표대로 사는 거죠, 뭐. 회의가 없으면 오후에 여유롭게 좀 정리도 하고 개인적인 시간도 보내고 하다가 때 되면 퇴근합니다.

✎ 김보통의 교실

수업을 준비하는 루틴이 어떻게 되시나요?

특징은 확실히 있긴 한데...(웃음) 저는 교과서 위주로 수업하는 걸 좋아해요. 옛날에는 검색도 많이 하고 찾아보면서 준비를 많이 했었는데, 좀 하다 보니까 그런 방식이 의미가 없다고 느껴졌어요. 선생님이 되기 전에는, 교과서가 좀 비판을 많이 받는 것 같아서 '정말 이게 부족한 교재인가?' 생각을 했거든요. 그런데 막상 수업을 해 보고 '인디스쿨'*의 자료와 비교를 해보니 교과서로 꾸준히 수업하는 것도 나쁘지 않더라고요. 어떻게 보면 아이들의 전체적인 학습력에 있어서는 오히려 낫고요. 아이들도 교과서를 제일 먼저 접하고, 고학년에 올라와서는 뉴스 같은 영상 자료라든지 이런 실제적인 내용을 다루게 돼요. 그런 학습 내용에 딱 맞는 영상 자료는 제가 찾는 것보다 '아이스크림'*에 있는 관련 영상이 정말 딱 제가 필요로 하는 거더라고요. 그래서 실제 수업에서는 필요할 때 '아이스크림'에서 영상 위주로 보여주고, 올해 들어서는 (교과서)PDF 파일을 많이 활용해요.

*인디스쿨_ 초등교사 커뮤니티. 초등교사들이 자발적으로 업로드한 다양한 학습 자료가 탑재되어 있음

*아이스크림_ 초등교사를 위한 디지털 수업 자료가 많은 유료 사이트

올해 PDF 파일을 많이 활용하게 된 이유가 있나요?

일단 전에는 PDF 파일의 존재를 몰랐는데 올해 알게 된 게 커요. 그리고 실물화상기를 많이 이용했는데 그것보다 PDF 파일을 화면에 띄우고 같이 보는 게 가시성이 더 좋더라고요. 수업에 집중을 잘 못하는 아이들은 지금 어딜 하는지 모르는 경우가 많은데 PDF 파일을 보면 어디 하는지를 다시 찾아서 돌아올 수 있는 것 같아요. 모든 과목에서 그렇게 많이 활용진 않는데 특히 수학 같은 경우는 교과서 문제 풀이를 보여 줄 때 많이 씁니다.

다른 교사들의 수업을 들여다보나요?

안 봅니다.

안 보는 거예요, 못 보는 거예요?

안 봅니다.

그러면 자신의 수업도 누가 보는 게 싫으신가요?

싫어요.

왜 싫으신가요?

일단 준비되지 않은 게 1번일 거고요. 준비를 그렇게 많이 하지 않으니까 싫은 게 있어요. 다음으로는 누군가 제가 일하는 모습을 보는 게 싫어요. 사생활은 아닌데 마치 사생활을 보여주는 느낌이에요. 제가 아이들 앞에서 원맨쇼 하는 모습을 보여준다는 게 싫어요.

연차가 쌓이면서 수업 준비 방식의 변화가 있었을 것 같아요. 어떻게 지금과 같은 방식을 갖게 되었나요?

저도 처음에는 '인디스쿨'을 보고 '와, 이렇게 좋은 게 있나' 하면서 활용도 하고 참고도 많이 했어요. 제가 '인디'에 있는 선생님들의 결과물이나 자료를 평가하는 건 아닌데, 사용을 해보니까 확실히 아이들의 시선을 끌 만한 제재, 화려한 편집 실력으로 빚어낸 것들이라 퀄리티가 높아요. 하지만 결국 더 중요한 알맹이는 교과서에 있는 내용이더라고요. '인디' 자료도 그걸 가져다 쓰는 게 많고요. 아무래도 요즘 트렌드에 맞는 예쁜 자료를 주면 아이들이 좋아하고 잘 받아들이긴 하지만 교과 전담이 아니고서야 대부분의 담임 수업은 일회성인데 그 학습지 하나, PPT 하나에 너무 많은 시간을 들이는 게 비효율적이라고 느껴졌어요. 그리고 예쁜 학습지, 예쁜 영상 이런 부가적인 것에 아이들의 관심이 가서 오히려 학습 내용을 기억 못하더라고요. 언제나 화려한 자료로 수업을 할 수도 없는 노릇이고요. 그래서 저 개인적으로 '굳이 이렇게 노력할 필요가 있나' 싶었죠. 아이들이 학습하는데도 그렇게 큰 효과가 있는 것 같

*수익_ 수학교과의 풀이 문제를 모아놓은 '수학익힘책'의 줄임말

지도 않고. 그런 생각이 들자, 활용하기는 하지만 예전만큼 많이 '인디' 자료를 쓰진 않아요. '아이스크림'으로 이동하게 되었죠.

교과서 수업은 아이들이 내용에 좀 더 초점을 잘 맞추나요?

네, 초점을 더 잘 맞추고요. 그리고 '인디'의 자료는 다 선생님들이 공들여서 만든 자료인데 그걸 40분 수업 시간 안에 하기엔 벅차요. 사실 대부분 시간이 모자라죠. 그래서 수업 하다가도 얼렁뚱땅 넘어가는 것도 있는데, 교과서로 하면 그런 문제는 없거든요. 40분 시간이 철철 넘치고 남아서 수학 같은 경우는 '인디' 자료로 할 때는 수익*을 거의 못 풀었는데, 교과서로 하면 수학도 풀고 수익도 풀고 괜찮은 날에는 학습지까지도 풀고 풀이도 할 수 있으니까요. 시간 활용 면에서는 더 좋은 것 같아요. 사실 시간표가 있어도 우리가 딱 그대로 수업을 하진 않잖아요. 어떤 경우엔 1시간짜리를 1.5시간 하기도 하고 주지 교과 아닌 과목은 2시간짜리를 줄여서 하기도 하고요. 저는 수학은 거의 1.5시간 수업을 해요. 어쨌든 교과서 위주로 수업을 하면 전체적인 일과 시간을 제가 좀 유동적으로 조절해서 쓸 수 있어서 좋아요.

수업 준비에서 나름의 기준이나 원칙이 있다면 무엇일까요?

없어요.

*주지 교과_ 누구나 알아야 한다고 인지하는 교과. 보통 국어, 영어, 수학과 같은 교과를 말함

교과서 내용이 기준이신 거죠?

네, 교과서 내용만 하려고 합니다. 성실하지 않게 수업한다는 의미가 아니라, 교과서 내용만 학급 모두가 성취한다고 해도 굉장히 성공한 수업이거든요, 사실. 주지 교과*, 저 같은 경우는 국수사를 제가 수업하는데 이것만 열심히 하고 나머지 과목은 그냥 재밌게 즐겁게 한다고 생각해요. 왜냐하면 하루 6시간 수업 중에서 애들이 실제로 집중할 수 있는 건 2시간 정도라고 생각해서요. 많아야 2시간이니까 중요한 과목만 2~3시간 하고 나머지 미술이나 실과, 음악 이런 과목은 가볍게 수업하려고 해요. 집중할 수 있는 에너지가 정해져 있으니까요. 그렇게 수업하니까, 교과서만 집중해서 하고 나머지는 별로 따로 하지 않아요.

그렇게 가르치는 것에 대해 스스로 어떻게 생각하세요? 혹시 찔리지 않으세요?

솔직히 찔릴 때도 있어요. 왜냐하면 6학년 같은 경우는 실과 수업에서 '바느질해라' 하고, 못하는 애들이 저한테 오면 조금씩 봐주고 거의 미술이랑 비슷하게 실습 위주로 스스로 하게끔 했어요. 그런데 바느질 같은 경우는 몇 주가 그 내용으로 계속되다 보니 한 번 하고 끝나지 않잖아요. 오늘은 코 만들고 다음 주에는 겉뜨기하고 그다음 주에는 안뜨기하고 이런 식인데, 저의 체감상으로는 그냥 아이들한테 던져주고 지켜보는 거예요. 그래서 찔릴 때가 있긴 하죠. 하지만 찔리는 거랑 행동으로

관성처럼 고민 없이
다니고 있습니다

옮기는 거랑은 또 별개예요. 찔리지만 그게 제 행동 변화까진 안 가고... 찔리지만 그냥 하는 거죠. 모든 것을 깊게 생각 안 하려고요.

주지 교과와 예체능 교과 수업은 차이가 있네요.

네, 실기 수업인 경우는 그 내용만 하면 되니까요. 미술 같으면, 수업 목표나 절차 이런 게 주지 교과처럼 칠판에 있지 않고 그냥 '이거 하자, 이거 해라.' 그러고 나서 만들기 과정 알려주고, 준비시키고, 주의사항만 알려주죠. 다들 그렇게 하지 않나요?

주변의 다른 선생님들은 다 이렇게 하시는 것 같아요?

그런데 저는 다른 사람에게 관심이 없어요.

이런 얘기를 잘 안 나누시나 봐요.

수업을 어떻게 하고 이런 얘긴 안 나누는 것 같아요. 그냥 다 서로 영향을 알게 모르게 받는 것 같긴 하지만요. PDF 파일도 옆 반 선생님도 쓰시는 것 같고. 그리고 올해 같은 경우는 (코로나19로 인한 주간학습안내 작성을 위해) 시간표를 같이 짜니까요. 일과가 전담 시간 빼고는 비슷하게 흘러가요.

선생님 MBTI가 '엄격한 관리자'라고 하시던데 학급 운영도 '엄격한 관리자'로서 하시나요?

그 '엄격한 관리자'가 올해 초반에 한 검사에서 나왔나 그랬는데 올해는 코로나 때문에 학급 운영이 이전과 많이 달라졌어요. 이전 기준으로 얘기하자면 저는 학급의 시스템이 되게 중요하다고 생각했어요. 시스템이 있어야 제가 없어도 학급이 굴러가고, 자기들끼리 혼란도 안 생기는데, 그 시스템이라는 게 말이 거창해서 그렇지 '1인1역'이랑 아이들에게 주어진 역할이거든요. 역할 하나하나 체크하는 사람도 있고, 실행하는 아이도 있고요. 실행 결과를 주 단위로, 월 단위로 모아서 보상도 주고 했었는데 올해는 학기 초반에 아예 그걸 못했죠. 왜냐하면 학교를 안 오는 시기를 지나서 그다음 등교를 했을 때는 (밀집도 감소를 위해) 반이 둘로 나뉘었거든요. 그런데 분반 상태의 교실이 얼마나 갈지를 몰라서 아이들한테 역할 부여를 못 했어요. 이렇게 끌다 보니까 올해가 흐지부지 가버렸어요. 역할 없이 그냥 무정부 상태로. (웃음)

그런데 제가 그 역할에 대해서 고민을 좀 하게 됐어요. 예전에는 이런 시스템이 꼭 있어야지 교실이 흘러간다고 생각을 했는데 막상 아무것도 없이 한 해를 흘려보내 보니까, 엄격한 관리나 질서가 없이 애들을 풀어주니까 또 풀어주는 그 안에서 아이들을 더 인간적으로 대했던 것 같은 거예요. 아이들한테 '이거는 이래서 그렇고... 그래서 우리 교실을 우리가 좀 더 깨끗한 방향으로 사용해야 하지 않겠느냐'고 설득을 했더

관성처럼 고민 없이
다니고 있습니다

"
교과서 내용만
학생 모두가 성취한다고 해도
굉장히 성공한
수업이거든요, 사실.

니 애들이 납득을 하더라고요. '내가 꽉 잡고 있는 거랑 또 풀어주는 거랑은 다르구나, 풀어주는 게 틀린 건 아니구나' 그런 생각을 했어요.

원래의 규율이 있는 학급 운영에서는 오히려 제가 더 스트레스가 많았던 것 같아요. 정해져 있는 건 아이들이 못하는 경우가 사실 훨씬 더 많으니까요. '내가 어떻게 보면 애들을 혼낼 일만 자꾸 만들어내는 것 아닌가' 생각을 했죠.

그 규칙이라는 건 어떻게 만드는 건가요? 선생님께서 중요한 규칙을 짚어서 제시하시나요?

예를 들어서 아침에 오면 9시까지 수업 시작 전에 우유를 다 먹고 정리하고 이런 기본적인 것부터 시작해서 1인1역, 청소할 때 1분단, 2분단, 3분단이 역할을 나눠서 하는 그런 것이요. 으레 하는 일상적인 규칙들. 제가 정해주죠. 그걸 아이들이 해야 하는데 못하면 제가 스트레스를 받아요. 이게 그렇게 혼낼 일도 아닌데 생활하다보면 그 자잘자잘한 게 쌓여서 아이들한테 화를 내게 되고 서로가 피로감을 느끼는 것 같아요. 그런데, 그게 필요한 시스템이라고 생각했지만 올해 되게 방만하게 운영해보니 방만한 것도 마냥 나쁘지만은 않다, 조금 더럽긴 하지만. 이렇게 됐죠.

제가 기준을 낮추면 편해진다 싶었어요. '내가 치우란 소리를 안 했으니 애들도 안 치워서 교실이 더러운 건데.' 제가 화를 안 내니까 애들하고 관계도 조금 더 좋아진 것 같고 애들도 저를 잘 따르는 것 같고 그

30

래요. 고학년이라서 자기들도 선생님이 왜 시키는지 이해를 하는 것 같아요. 지금은 생각이 바뀌고 있는 시기 같아요. 그런데 뭐가 맞는지 아직은 모르겠어요. 그렇게 방만하게 해본 건 첫 해라 가지고요.

아이들과 있었던 기억에 남는 일을 꼽자면? '이건 참 잘했다, 이건 후회된다'하는 게 있나요?

일단 후회되는 것을 먼저 얘기하자면 첫 해 때 있었던 일이에요. 정육면체가 수업 시간에 나왔어요. 한 변의 길이가 1m인 정육면체를 실제로 신문지로 만들어보는 수업을 했었는데 제가 첫 해였으니 아무래도 좀 부족했죠. 애들이 내 마음처럼 안 따라주니까 그게 너무 감정적으로 신경질이 나더라고요. 모둠별로 정육면체를 하나씩 만들어야 하는데, 이게 무슨 정해진 키트로 만드는 게 아니라 신문지로 만들다 보니까 애들이 만든 결과물이 개똥 같이 나온 모둠도 있고 그런 거예요. 그래서 제가 화가 나서 '야!' 이러면서 소리를 질렀는데 그때 애들 입장에서는 선생님이 한번 소리 지른 걸로 끝나겠지만 저한테는 남더라고요. 제가 알잖아요. '내가 얘네한테 학습적인 면이나 생활적인 면에서 선생님으로서 훈육 차원에서 한 게 아니라 진짜 사람 대 사람으로 화가 나서 감정적으로 대했구나.' 그게 첫 해 때 그냥 하루 있었던 일인데도 되게 기억에 오래 남았어요. 그날 스스로 날 서 있었던 게... '감정적으로 화를 내면 안되겠다.' 생각을 하지만 쉽진 않죠.

잘했다 싶은 거는... 아이들한테 항상 마지막 날에 영상 만들어 줬던 거? 그거말곤 저는 잘한 게 그냥 없는 것 같아요. 영상은 엄청 고퀄리티는 아니고 그냥 사진만 입히고 슬라이드로 넘어가는 거예요. 자막도 없어요. 그래도 애들은 항상 울죠. 애들 울리고 나면 뿌듯하고. (웃음)

✎ 김보통의 학교

올해 어떤 업무를 맡고 계세요?

올해는 업무가 없었어요. 왜냐하면 수학여행이랑 수상 대장 두 가지였는데 둘 다 코로나로 업무가 증발됐어요. 안 그래도 큰 학교에 있다 보니까 업무가 많이 작은 편인데 하필(?) 수학여행이 걸려서요. 그래서 여기에 대해선 할 말이 없습니다. 내년이 걱정이죠.

지금까지 업무 때문에 짜증났던 적, 반대로 좋았던 적이 있나요?

업무가 좋았던 적은 4년차 때인데, 그때 뭐였는지 기억이 안 나네요. 그러니까 좋았던 거는 일이 별로 없으니까 좋았던 거겠죠?

*생기부_ 학교생활기록부

힘들었던 거는, 지금은 많이 까먹었지만 기억을 살려보면, 돈 쓰는 거랑 사람 쓰는, 사람 관리하는 업무였어요. 저는 강사들 관리하는 업무가 제일 힘들었어요. 그때 아홉 명 정도를 관리했는데, 성인 아홉 명을 관리한다는 게 진짜 너무 힘들었어요. 다음 해에는 도서관 업무를 맡아서 몇천만 원을 썼는데도 스트레스가 사람 관리에 비해 덜했어요. 월급도 줘야 되고 그 사람들도 나름의 불만이 있을 것이고 말이죠.

어떤 강사 관리 업무였나요?

오케스트라요. 학교에서 합창단이나 풍물처럼 하나씩 하는 그런 거였어요. 그런데 오케스트라다 보니까 악기 종류가 많아서 파트도 7개나 되고 그래서 강사 인력이 좀 많았어요.

교사로서 업무를 수행하는 것에 대해 어떻게 생각하시나요?

일단 저는 한국에 살잖아요. 어디 외국에는 선생님이 수업만 하고 그런다는데 제가 이 나라를 떠날 수 없으니까 이 나라 교육 체계상으로는 교사가 일을 해야 하는 시스템이죠. 그리고 업무를 따로 하는 사람이 있으면 좋겠지만, 지금 방과후도 새로 업무 인력을 만드는데 그 채용 과정이 너무 이상하고 그런 걸 보면, 내 업무를 대신할 사람이 생긴다고 하는 게 꼭 좋은 것만은 아니고 공정하지 못한 부분도 있구나 싶어요. 그래서 마냥 업무랑 교사를 떼어놓고, 업무 하는 사람 따로 수업하는 사람 따로 보기는 힘들겠다는 생각으로 좀 바뀌었어요.

교사가 업무를 수행함에 마땅하다고 생각하는 부분과 교사가 수행할 업무가 아니라고 생각하는 부분이 궁금해요.

근무 관련된 일은 우리가 하는 게 맞는 것 같아요. 출결이라든지 학적, 전입, 전출 이런 거요. 그리고 교사가 투입돼야지만 사정을 알고 잘 진행할 수 있는 일들, 학교 행사라든가 생기부*나 애들 일정이라든가 이런 부분은 선생님이 하는 게 맞다고 생각해요. 그런데 시설 관련 일은 꼭 교사가 하지 않아도 되죠. 방과후라든지 돌봄이라든지 그런 일도 꼭 교사가 할 필요 없다고 생각해요.

관리자가 과한 업무를 시키면 거부할 수 있나요?

못해요. 못하고 후회하겠죠. '아, 그때 거부했어야 했는데.'

과하다고 생각하는 업무 받아본 적 있어요?

받아본 적 있죠. 그때 총학예회랑 동아리 예술 강사 관리랑 오케스트라 창단 및 운영.

창단도 선생님이 하신 건가요?

네, 창단도 제가 해서 파트 강사만 일곱 명이었고요. 그 모든 걸 한 해에 했으니까 그리고 그땐 2년차였으니까 너무 과했죠.

관성처럼 고민 없이
다니고 있습니다

"

<u>학교생활은 만족하는데</u>
<u>그냥 학교 다니기 싫어요.</u>

동학년 선생님들은 어떠세요? 선생님들이 자신과 잘 맞나요?

좋아요. 딱 일하는 스타일이 비슷해요. 저는 학교에서 하는 일을 생각하면 이게 교사에게 도움이 되는가, 학생에게 도움이 되는가, 이 일의 결과로써 누가 혜택을 보는지를 봐요. 그런데 학교 일 중에서는 아무에게도 도움 안 되는데 노가다로 하는 일들이 있어요. 저는 생기부가 그런 일이라고 생각하는데, 창체 입력 같은 것이요. 애들의 진학에 도움이 되는 것도 아니고, 플러스도 마이너스도 안 되는데 그걸 점 하나를 찾고, 오타를 찾아서 기록을 날짜에 맞춰가며 하는게... 학급에 아이들이 많으면 실수도 생길 수 있는 일인데 말이에요. 그냥 일을 만들어서 하는 느낌의 일이에요. 물론 법적인 근거가 있어서 하는 거겠지만 저는 법이고 뭐고 떠나서 '이 결과물이 애들한테 도움이 안 되는데, 의미가 없는데'라고 생각을 해서 좀 없어졌으면 해요. 예를 들어서 아이들이 '진로 체험의 날에 3D 프린터 만들기 체험을 해서 과학적 사고력, 역량을 키웠다.' 이거 한 줄 적어주는 게 정말 얘네한테 과학적 사고력을 키워주는 건지, 아니면 차후에 이게 진학이나 자기 판단에 도움이 되는 자료인지 생각하면 사실 아니잖아요. 그냥 그건 지나가는 하루인데 말예요. 차라리 일반 수업 시간에 했던 게 더 의미 있을 수 있는데, 창체라는 이름 하에 이걸 적는 게 참 의미 없이 느껴져요.

그런 데에 대한 생각이 동학년 선생님들끼리 비슷해요. 그래서 '의미 없는 건 대충대충 하자.' 이렇게요. 수월한 방법을 찾아서 서로 공유하는 그런 분위기가 마음에 들어요. 딱 해야 하는 중요한 것만 남기고 가

관성처럼 고민 없이
다니고 있습니다

지치기가 되고요. 그게 또 마음이 맞아야지 되잖아요. 그런 거 하나하나를 되게 중요하게 생각하는 사람과는 같이 못 하니까요. 그런데 이번 동학년 선생님들과는 그런 마음이 잘 맞아서 좋죠.

큰 학교라고 하셨는데, 학교의 특징이나 분위기가 어떤지 궁금해요.

학군이 좋고 연구학교를 하고 있어요. 특징은 많죠. 그래서 일하려는 사람들도 많아요. 왜냐하면 학군이 좋고 학교가 크면, 나쁘게 얘기해서 편하게 하려고 오는 사람이 많은 곳인데 여긴 연구학교니까 일하려고 오는 사람들이 많아요.

지금의 학교생활 만족하시나요?

학교생활은 만족은 하고 있는데 그냥 학교 다니기 싫어요. 올해도 새로운 업무를 맡았는데, 사실 올해처럼 한다면 너무 좋죠. 근데 그냥 일를 하기가, 출근이 힘드니까 싫은 거죠.

본인이 보통이라고 생각하시나요?

저는 진짜 보통이라고 생각을 하는데요. 그런데 교직에는 너무 열심히 하는, 그런 성실파들이 많으니까 제가 보통이 아닐 것 같다고 느껴질 때가 많아요.

"

내 삶의
일부가 된거지요,
전체가 아니라.

선생님이 생각하시는 보통의 교사란, '적당히'의 기준은 뭔가요?

'적당히'의 기준? 그냥 학교에서 애들이 안 다치고, 기초학습만 좀 돼서 큰 트러블 없이 다음 해로 올리면, 보통의 교사라고 생각합니다.

🎤 교사로서의 삶

퇴근 후의 삶은 어떤가요?

원래는 퇴근 후에 선생님들하고 회식을 많이 했었는데 올해는 회식을 못 했고요. 원래는 약속 없으면 집에 가만히 누워있거나 운동하거나 둘 중 하나예요.

회식은 좋아서 많이 하는 건가요? 동학년 선생님들이 이제까지 계속 잘 맞아서요?

저는 거의 2~3주에 한 번씩 회식을 했었는데, 되게 많죠. 제가 먼저 하자고 한 적은 한 번도 없고요. 누가 하자고 하면 거기에 대해 뚱하니 앉아있을 수도 없는 성격이고 상대방이 불편해하는 모습을 제가 보기 싫어서 좀 재미있게, 재미있는 척? 분위기를 맞춰 주었어요. 그러니까 선생님들은 제가 회식을 좋아한다고 생각하는 거겠지요. 가자고 하면 전 못 빼는 성격이니까 가는데, 그렇다고 그게 100% 싫은 것만은 아니고 재미있을 때도 있어요. 하지만 정말 진심으로 '갈래, 말래?' 물어보면 '안 간다' 하고 싶죠. 근데 그게 안 되더라고요, '싫어요' 말하는 게. 첫 학교가 되게 작은 학교여서 가족 같은 분위기라서 그렇게 못하는 습관이 들고 그래서 지금까지 그런 건가 싶기도 해요.

그런 데서 오는 약간의 스트레스가 있겠는데요?

스트레스 없어요. 그냥 가죠. 안 가서 내 마음이 불편한 스트레스보다 제가 가서 앉아있는 스트레스가 더 작으니까 가요. 그냥 다음 날 좀 피곤하면 되니까요.

개인 김보통은 교사 김보통의 일치율은 몇 % 정도일까요?

저는 그래도 한 75%.

교사 김보통은 본캐인가요? 부캐는 몇 개쯤 있는 것 같나요?

교사라는 정체성이 본캐예요. 저는 퇴근하고 나면 부캐인데요. 저한테 캐릭터는 한 네 개 정도 있는 것 같아요. 하나는 본가 가족이랑 있는 캐릭터고, 다음은 학교에서 있는 캐릭터, 다음은 친구랑, 다음엔 남편이랑 있는 캐릭터요. 저랑 주로 생활하는 사람들에 따라 제 캐릭터가 다

관성처럼 고민 없이
다니고 있습니다

른데 아무래도 제가 학교에서 보내는 시간이 제일 많으니까 본캐는 학교 캐릭터라고 생각해요.

학교는 제가 일해서 돈 버는 곳이니까 남에게 피해를 끼치기 싫은 마음이 강해요. 제가 가족한테는 '이거 해줘, 저거 해줘'가 많은 편인데 제 자신의 그런 모습을 아니까, 학교에서는 최대한 스스로 해결을 해보고 그래도 안 되면 다른 사람에게 도움을 부탁해요. 집에 와서는 가족이나 남편한테는 제가 조금만 하기 싫은 거나 '그냥 네가 했으면 좋겠는데' 그런 거 전부 100% 요구를 하니까 그런 점이 달라요. 그리고 친구들은 어떻게 보면 가족이나 남편보다 더 편한 존재예요. 그래서 제 생각이나 아무 말 다 편하게 할 수 있어요. 예의 없이 말한다는 게 아니라, 남들이 들으면 헛소리라고 생각하는 말도 그냥 얘기할 수 있어요.

교사라는 직업과 자신이 긴밀히 연결되어 있다고 생각하나요?

전 본캐가 선생님이니까 그렇죠. 연결되어 있죠. 저의 일상이 학교생활이니까 나도 모르게 제가 퇴근 후에도 다른 사람과, 가족이든 친구든 대화를 할 때 학교 이야기를 많이 하고 생각도 그 쪽으로 많이 하고요. 근데 이건 제가 교사라서 그런 게 아니고 모든 직업인이 그럴 것 같아요. 자기가 하는 일에 대해서 가장 생각을 많이 하고 고민도 할 것이고요. '이런 일, 저런 일이 있었어'하고 넋두리하듯 일상적으로 얘기도 많이 하겠죠. 누구든지 자기 직장에 대해 그렇게 생각을 하니까요. 교사라서 특별히 그런 건 아니에요.

어떤 이유로 교사가 되었나요?

경쟁을 안 할 수 있어서요. 되는 과정 한 번만 통과하면 경쟁이 없는 직업이고 안정적이라고 생각을 해서요. (초등) 선생님은 교대를 가야, 될 수 있는 거니까 어찌 보면 고등학생 때 그 이유가 정해지는 건데요. 고등학생 때는 시험을 몇 번이나 계속 보고, 등급이 매겨지고, 경쟁하고 이런 생활을 몇 년이나 지속하잖아요. 그렇게 평가받고 경쟁하면서 시달리는 그 삶이 너무 괴롭고 힘들어서 저는 한 번만 커트라인을 통과하면 다시는 시험이나 경쟁이 없는 직업을 갖고 싶다는 생각을 했어요. 마침 점수도 맞았고 생각도 맞아 떨어져서 교대를 왔고 그런 점이 지금 좋죠.

진짜 경쟁을 안 하는 직업이라고 생각하세요?

제 내적으로 스스로 경쟁을 유발하지만 않으면요, 제가 원한다면 경쟁을 안 할 수 있잖아요. 물론 경쟁하는 선생님들도 있겠지만, 선생님들끼리 경쟁을 안 할 수도 있는 것, 제가 그걸 선택하면 되니까요. 저는 (경쟁) 안 해요.

선택에 만족하시나요?

만족하죠. 감사하게 생각해요. 이래서 직장을 못 그만두는 거죠, 일은 나가기 싫어도. 그러니까 그냥 관성처럼 다니는 거죠.

관성처럼 고민 없이
다니고 있습니다

교사와 일반 직장인과는 차이점이 있다고 생각하시나요?

교사와 일반 직장인을 비교한다면 크게 다를 것이 없다고 생각해요. 저는 개인적으로 초반 몇 년 동안은 좀 다르다고 생각했어요. 교육을 하고 애들을 돌보고 애들이 잘 클 수 있도록 해주는 사람이 교사인데, 제가 아이들한테서 직접 돈을 받는 게 아니잖아요. 그러니까 '내가 봉사 활동으로 이 아이들을 가르치는 것은 아니지만 봉사 정신으로 아이들의 성장에 도움을 준다'는 그런 게 있었는데 지금은 생각이 바뀌었어요. 결국 이것도 직장이고요. 예전에는 이걸 일반 직장이라고 생각을 안 했고, 또 많은 교사들이 직장이라고 생각을 안 하는 것 같아요.

직장이라기보다 더 큰 가치를 위한 느낌? 사회에 기여하는 느낌인가요?

네, 기여한다는 생각을 가지고들 하는 것 같아요. 저는 결과적으로 월급 받고 일하는 일반적인 직장인이라고 생각해요. 기계적으로 출근하고 돈 받는 그런 무정한 선생님은 아닙니다. 교사를 바라보는 관점 중 성직자관, 전문직관, 노동자관이 있잖아요. 노동자관이 저에게 어울린다고 생각해요. 그렇게 생각하니까 학교를 다니는 스트레스도 덜하고 학부모를 대할 때도 좀 거품이 빠졌다고 해야 하나? 그래요.

거품이 끼어있었나요?

거품이 좀 있었어요. 약간 '나 교산데' 하는 겉멋 아닌 겉멋. '내가 얘 선생님인데' 하는 게 좀 있었고요. 그리고 저는 교사만 해봤으니까 다른 직업을 가져보지 못해서 다른 세상이 어떻게 돌아가는지 잘 몰랐어요. 그런데 요즘 주식도 하면서 다른 세상에 좀 관심을 가져보니까 '아, 학교라는 공간이 나한테는 전부였는데 여기는 정말 일부였고 바깥의 세상은 참 넓고 산업 분야도 다양하구나, 여기는 그 바깥에서 일하는 사람들 애들 맡아주는 곳이구나'라는 생각이 좀 들면서요. 제가 하찮고 보잘 것 없다는 게 아니라, '나도 그냥 공공기관에 일하는 사람 중 하나구나'라고 생각하고 거품이 좀 빠졌어요.

거품이 빠졌다고 느끼는 일이 있었나요?

예전에는 학부모님이랑 상담할 때 이 아이가 학교에서 잘 지내고 못 지내고에 대해 저는 심각하게 생각을 해서 얘기를 하는데도 별로 거기에 대해 동요하지 않는 부모님이랑 통화를 하면, '이 사람은 왜 아이에게 관심이 없지?'라고 생각을 했어요. 그런데 저한테는 이 아이의 학교생활이 상당한 부분을 차지하고 큰일이라고 생각해서 말한 거지만 어쩌면 그 학부모님의 인생에서 아이가 전부는 아닐 수 있잖아요. 다른 아이가 있을 수도 있고, 아니면 자기 직장에서 개인적인 일이 있을 수도 있고, 다른 관심사가 지금 있을 수도 있고요. 그렇게 생각하다 보니까 '나도 교

"

나이에 따라서
3~40대가
일을 너무 많이 해요.

사라고 뭐 특별한 게 아니라 그냥 직장 중에 하나구나'라는 생각이 들었어요.

교사라는 직업에 대해 평가해본다면 어때요?

개꿀이죠. 출퇴근 시간 정해져 있고 일단 제 교실이 있잖아요. 내 공간이 따로 있다는 것. 물론 청소를 하긴 해야 하지만 그건 어딜 가나 마찬가지고요. 제가 관리해야 될 애들이 좀 있긴 하지만 그래도 좋죠, 뭐. 어디 높은 데 올라가고 이런 위험한 일을 하는 게 아닌 것도 좋고요. 규칙적인 게 좋아요. 급식도 맛있고요. 다른 직장은 밥 뭐 먹을지 고민해야 한다는데 저희는 그런 고민 안 해도 되고요.

교사라는 직업에서 중요한 부분은 어떤 것이라고 생각하시나요?

시간 맞춰서 제때제때 출근하고 쉬는 시간과 수업 시간 구분하면 된다고 생각해요.

교사로서 열정, 발전에 대해 어떻게 생각하나요?

교사의 발전? 전 좀 찔리는 게 많아서요. 저는 저의 발전을 위해 뭘 안 하기 때문에... 교사로서의 자기 계발을 거의 안 하는 편이에요. 그래서 사실 이 질문에 뭐라고 대답해야 할지 모르겠어요.

자기 계발을 거의 안 하지만 생각은 해봤을 수도 있잖아요?

생각을 하긴 하지만 다른 교사에 비해서 자기 발전에 대해 관심이 낮아요. 하루의 1/3을 학교에서 근무하고 나머지 2/3까지 학교생활에 할애하는 건 저에게는 좀 부담스럽습니다. 차라리 학교에서 근무하는 1/3시간에 최선을 다하겠습니다. (웃음)

이 질문을 계기로 생각을 해볼 의사도 없나요?

의사도 없습니다.

교사로서 자신의 열정 지수를 절대평가로 나타내본다면 10점 만점에 몇 점일까요?

한 6점?

생각보다 높은데요?

제가 자기 계발을 별로 그렇게 열심히 안 했던 이유가, 저는 어린 아이들과 생활을 하잖아요. 매년 똑같은 걸 하니까 이게 지겨우니까 새로운 걸 찾아서 제가 발전하고 이런 건 좋은 거긴 한데, 애들한테는 제가 지겹다고 생각하는 게 처음일 수도 있잖아요. 예를 들어서 저희가 매년 독서감상문을 쓴다고 쳐요. 선생님 입장에서는 맨날 그걸 쓰니까 지겹다고 생각을 하는데 애들한테는 독서감상문 쓰는 자체가 의미 있는 활동이 될 수도 있겠다 생각을 해요. 특히 저학년 때는 뭔가 전통적인 학교 활동들이 도움이 되더라고요. 받아쓰기 같은 것이요. 그리고 전통적인 걸 계속 반복시켜 주는 것도 저는 애들한테 의미가 있다고 생각해요. 그래서 굳이 제가 스스로 발전해서 나아가지 않아도, 제가 지금 가진 것을 잘 활용하면 애들한테 도움이 되는 것 같아요.

그런 생각이 몇 년차 쯤 완성이 된 것 같아요?

언제라고 딱 명확하게 말하기는 힘든데 제가 스스로 이걸 인지한 것은 작년에 1학년을 했을 때예요. 발전이라는 건 제가 뭔가 새로운 걸 배우고 받아들이고 아이들한테도 새로운 걸 주는 거라고 생각을 하는데, 1학년 아이들은 이미 무無의 상태이고 아무것도 모르더라고요. 그래서 어찌 보면 과거의 것, 전통적인 게 필요한 거죠. 그래서 새로운 걸 주는 게 별 의미가 없고 저학년에게는 전통적인 게 새로운 것일 수 있겠다고, 그걸로 충분하고 필요한 나이라고 생각했어요.

절대평가로 6점이라고 하셨는데, 그 이유는 무엇인가요?

그래도 제가 학교에서 시키는, 때 되면 들어야 하는 연수는 듣고, 협의회 가서 연수도 듣고, 수업 준비도 내용도 찾아보고 하니까, 절반 이상은 하니까 5점은 넘고요. 그 와중에 저도 무의식적으로 재밌는 거 보면 애들한테 가르쳐주고 싶어 하는 것들이 있을 거니까 1점을 더 줘서 6

관성처럼 고민 없이
다니고 있습니다

점입니다. 남들이 시키면 또 하거든요, 발전을. 시스템 안에서는 제가 맞춰가야 하니까요.

그렇게 들으니 6점이 짜게 느껴지네요. 그렇다면 상대 평가로 교사 집단에서 이러한 열정 지수는 100명 중 몇 등 정도일까요?

한 40등. 아 뒤에서 40등이니까 60등인가요. 60등 정도예요.

왜 그렇게 생각하시나요?

왜냐하면 상대적이니까요. 너무 열심히 하는 사람들이 대다수라서요. 제 밑에 한 30%는 문제 있는 교사들.

자신보다 상위 열정 지수를 가진 교사들의 특징은 뭘까요?

대충 못 한다는 것입니다. 교사의 성격적인 특징이에요. 다들 공부 잘하는 사람들이니까 간단한 시험을 쳐도 무조건 다 열심히 해서 항상 고득점 받는 사람들이니까요. 학교에 간단하게 제출해도 되는 서류들 같은 경우도 이상하게 꽉꽉 채워서 내고, 어디에서 끌어와서 내고요. 복사해서 썼든 자기가 썼든 그렇게 꽉꽉 채워내요, 그럴 필요가 없는 것들도요. 그래서 특징은 좀 대충하지를 못한다, 뭐든지 열심히 한다는 거예요.

선생님은 왜 그들처럼 하지 않나요?

저는 그 열심히 한다는 게, 그렇게 에너지 쏟는 게 아까워요. 교사가 하는 일이 수업, 생활지도, 인성교육, 각종 업무, 공문처리 등등 다양한데 모든 것에 열정을 갖고 최선을 다하는 건 저에게는 불가능한 일이에요. 그리고 모든 것에 열정을 가지는 게 꼭 좋은 건만은 아닌 것 같아요. 공무원이기 때문에 교사들이 하는 업무 중에 불필요한 요식행위들도 있잖아요. 그런데 에너지를 써버리는 게 아까워요. 불필요한 것을 열심히 하는 게 애들한테 좋은 것도 아니고 저한테 좋은 것도 아니고 관리자한테 좋은 것도 아니고 누구에게도 좋을 게 없으니까요. 서류 작업하는데 저흰 시간을 많이 보내잖아요. 유일하게 신경이 좀 쓰이는 거는, 결국에 관리자도 교사니까 제가 좀 남들에 비해서 계획서라든지 서류를 헐빈하게 만들어서 낸다고 하면 '나를 좀 이상하게 볼까?' 그 시선에 신경은 쓰이죠.

자신보다 하위 열정 지수를 가진 교사들의 특징은 뭘까요?

그들은 문제가 있는 교사라고 생각합니다.

문제가 있다는 게 뭐예요?

지금 떠오르는 거는, 애들 관리에 있어서 방임한다든지 아니면 인격모독처럼 하면 안 되는 말실수를 한다든지 너무 자기만의 학급 질서

관성처럼 고민 없이
다니고 있습니다

를 엄격하게 강요한다든지 하는 경우에 해당 되는 거죠. 학교마다 한두 명씩 문제 일으키는 선생님들이요.

선생님은 왜 그들처럼 하지 않나요?

그렇게 하는 게 너무나 문제이기 때문입니다. (웃음) 저도 성실한 삶을 살아가는 인간인데, 욕먹을 짓은 하기 싫으니까요. 주변의 따가운 시선을 견디기 힘드니까.

직장인으로서, 혹은 교사로서 굽히지 않는 소신이 있나요?

관리자가 시키면 다 굽혀지던데요. 안 굽히려고 해봤는데 결국에는 중간에 있는 부장님들이 '이렇게 해라, 저렇게 해라, 그냥 시키는 대로 하자' 얘기를 해서요. 결국에는 관리자의 의지대로 항상 흘러가더라고요. 그리고 이미 제가 소신을 굽히고 안 굽히고 자체가 문제 상황에 있는 거잖아요. 그러니까 제가 이미 피곤한 거죠. 소신을 안 굽히고 헤쳐나가기에는 지쳐있는 상태인 거죠. 처음에는 소신을 꺾는 게 너무나도 괴롭고 힘든 일이었는데 결국은 잘 굽혀지더라고요. 빨리 끝내버리는 게 나으니까요.

듣다 보니까 보통씨는 에너지가 금방 떨어지시는 것 같아요?

네, 에너지가 잘 떨어지고 체력도 약하고요. 그리고 관리자와 맞서서 일을 처리했는데 그게 잘못될 리스크도 있잖아요. 굳이 맞섰는데 결과물이 안 좋으면 곤란해지기도 하고 그런 책임지는 것이 버겁기도 하고요. 또, 학교에서 소신을 굽힌다고 해서 나쁜 일은 없을 테니까요.

처음에는 소신을 안 굽혔었다고 했었는데, 소신에 맞지 않게 해야 하는 일이 어떤 경우였나요?

전 주로 돈과 관련돼서요. 업무적으로 쓰는 비용 처리 부분에 있어서 그랬어요. 낭비되는 돈을 학교에서 쓰려고 하거나 애들한테 도움이 되게끔 썼으면 좋겠는데 그걸 못 쓰게 한다거나요. 제가 오케스트라 할 때 그 생각을 많이 했어요. 저는 아이들 연주할 때 의상을 사 입히고 싶었는데 그걸 못 사 입히게 하는 거예요. 이유는 딱히.. 그냥 애들 집에 있는 옷 입고 하면 된대요. 제가 예산을 마련해달라고 한 걸 안 해준다는 데 제가 어떻게 할 수는 없으니까 그냥 있었죠. 그런데 학년말에 갑자기 어디서 돈을 가져와서 애들 의상을 맞추겠다고 하는 거예요. 저는 애들 옷 맞춰주니까 좋았죠. 그런데 알고 보니까 뭔가 그 의상집 하고의 사이에 은밀한 이상한 뭔가가 있었던 것 같아요, 정황상. 그 땐 안됐지만 지금 되는 것이 이상하기도 하고. 근데 그땐 이미 학년이 지나간 시기이기도 했고 이미 그 일에 너무 지쳐버린 상태라서요. 결과적으로 애들한테 옷을 줬으니까 뭐, 저는.

관성처럼 고민 없이
다니고 있습니다

"

저는 피하는 방법을 몰라요.
그냥 없는 채 사는 거예요.

그만두고 싶었던 순간이 있나요? 그러지 않은, 혹은 그러지 못한 이유는 무엇인가요?

있죠. 일단 제가 이 직업 말고 더 좋은 조건에서 더 좋은 월급 받고 일할 수 있는 게 무엇인지 모르겠고요, 그만두고 다시 이 시험을 쳐서 합격할 자신이 없어요. 제가 다른 직업을 찾더라고 결국은 돌아올 것 같거든요. 조건이 맞는 직업이 여기예요. 교대 나와서 할 수 있는 게 달리 뭐가 있겠어요.

그만두고 싶었던 그 순간은 언제, 왜 그랬나요?

그만두고 싶은 순간 너무 많아서. (웃음) 잠깐만요. 그냥 수시로 들어요. 조퇴하고 싶은데 눈치 보이고 조퇴 못 쓸 때. 저는 사소할 때 많이 들더라고요. 그냥 직장생활에 대한 피로감이 들 때 그만두고 싶지, 진짜 막 학부모 때문에 사건이 터지고 그런 때가 아니라요. 그럴 땐 오히려 그만두고 싶다는 생각은 안 들었어요. '그냥 오늘 빨리 퇴근하고 싶다.' 아니면 아침에 일어날 때, 그리고 수업하기 싫을 때 그래요. 특별한 이유는 없어요.

만약 사표를 쓴다면 어떤 때? 혹은 무슨 이유로 쓸 것 같아요?

이 일이 지겨울 때. 건강이 안 좋을 때.

앞으로 어떤 교사가 되고 싶나요?

저는 무난한 선생님이 되어도 괜찮거든요. 아이들한테 대체로 무난하게 하는 선생님이요. 수업도 제가 줄 수 있는 부분, 학습적인 부분은 최대한 주고 생활지도도 건강하고 안전하게 학교 생활할 수 있게 지켜봐 주는 그런 무난한 선생님이 됐으면 좋겠어요. 그러니까 어떤 교사가 되고 싶은 게 없는 거죠. 그냥 하루하루 살아가는 거죠. 그냥 눈에 안 띄고 싶어요.

그리고 업무적으로 학교에서는, 제가 너무 과잉한 업무를 맡지 않았으면 좋겠어요. 업무분장이 제대로 된 곳에서 일하는 선생님. 그런데 그런 곳은 잘 없는 것 같아요. 그저 제가 운 좋게 오래 꿀을 빨기를 바라는 수밖엔 없는 거죠. 학교는 좀 정확하게 1/N 될 수가 없고 어떻게든 불만은 생길 것 같으니까요.

그러기 위해 어떤 도움이 필요하고, 교직 환경에서는 어떤 점이 바뀌기를 원하시나요?

업무분장이 잘된 학교요. 누구는 놀고 누구는 일하는 그런 건 싫어요. 정말 무 자르듯이 나눌 수 없다는 건 알지만 그래도 지금 학교의 상황은 일이 잘 나뉘어졌다고 생각하지 않기 때문에요.

누구한테 과중한 것 같나요?

일차적으로 나이에 따라서 3~40대가 일을 너무 많이 해요. 50대들은 일을 안 하는 사람은 정말 안 하니까요. 그런 부분이 학교 전체를 좀 힘들게 해요. 그 사람의 일이 나머지에게 돌아가니까요. 그렇다고 교직이 성과대로 보상을 주는 분야도 아니고요. 이차적으로 승진 중심인 구조요. 승진하려는 사람에게 일을 많이 주기도 하지만 혜택도 많이 주더라고요. 부장 점수가 필요해서, 이동 점수가 필요해서 이런 업무를 받았는데 성과급까지 같이 받아버리니까요. 그 사람은 성과급도 받고 이동 점수도 받고 이렇죠. 물론 일은 하지만요. 너무 승진 중심으로 몰린 것 같다고 생각해요. 승진 중심이랑 고경력 교사에게 편의를 봐주는 방향으로 흘러가는데, 그렇다고 우리가 학급에서 그냥 노는 것도 아니고 애들 보고 하는 것은 똑같은데 말이에요.

그러니까 과잉하다는 의미가, 학교 일을 전체적으로 봤을 때 똑같이 나눠서 하는 거면 괜찮은데, '그게 아니라 과잉하다'는 상대적인 거예요. 만약 제가 작은 학교에서 큰 업무를 맡으면 괜찮을 것 같아요. 그런데 우리 학교 같은 경우 학급이 막 50개 가까이 되는데, 상대적으로 누구에게는 과하고 그렇죠.

첫 학교 선생님들에게 하시고 싶은 말씀이 있나요?

첫 학교 때는 학교가 저의 전부라서 에너지도 많이 가고 그랬어요. 그런데 살다 보면 나의 세상이 넓어지잖아요. 가족도 생기고, 저 같은

관성처럼 고민 없이
다니고 있습니다

경우엔 남편이 새로운 사업을 시작해서 더 빨리 넓어지기도 했지만요. 어쨌든 분명히 학교 말고도 나의 관심사가 생기는 분야가 살다 보면 생길 텐데, 그러면 학교에 소홀해질 수밖에 없어요. 그런데 소홀해진다고 내가 애들한테 못 할 짓을 한다고 생각하진 않거든요. 그냥 내 삶의 일부가 된 거지요, 전체가 아니고. 첫 학교의 선생님들이 나중에 저처럼 이렇게 변하더라도 마음속으로 너무 갈등하지 않으면 좋겠어요. 애들한테도 제가 전부가 아니고 만나는 사람 중에 하나, 스쳐 가는 인생의 한 사람이니까요. 저는 '제가 이러한 부족한 점이 있어서 애들한테 미안하다'고 얘기했을 때 저한테 말씀해준 선생님 말이 좋았는데, '어떤 선생님한테는 올해 A를 배우고, 내년 선생님한테 B를 배우고. 선생님 각각의 특성이 있는데 아이들이 자기한테 맞는 것을 빨아들일 것'이라고요. 저도 학교 선생님들 모두에게 영향을 받진 않으니까, 어쩌면 저의 이런 모습도 영향을 주어서 그걸 좋게 받아들이는 애들도 있을 것이라고 생각해요.

＼ 클로징

교사를 언제까지 할 생각이에요?

연금 나올 때까지. 정년퇴직은 좀 힘들 것 같고요, 정년퇴직하면 수명이 줄어든다고 해서요. 그래서 연금 어느 정도 나올 때까지인데 그게 언제인지는 몰라요. 20년은 해야 한다고 해서 20년은 해야 할 것 같고요. 나이가 들면 심심해서 할 것 같긴 해요.

사실은 몇 년 그만두고 다른 직업 하다가 다시 돌아오고 싶어요. 왜냐하면 이 직업을 계속하다가 나이가 들면 나중에는 다른 직업을 못해볼 것 같아요. 지금은 제가 뭔가 배울 수 있긴 한데 말이에요. 40대 쯤 접어들어서 새로운 일을 하는 건 힘들 것 같아요. 개인적인 바람일 뿐이죠. 그럴 수 없으니까요.

다음 학교에서는 어떤 모습이 되어있을 것 같나요?

다음 학교에서는 30대 중반일 테니까 그때 되면 부장을 많이 할 나이잖아요? 중책을 맡을 나이니까 어떻게든 그걸 피하려고 애쓰는 모양새겠죠. 사실 피할 수 있는 방법이 뭐가 있는지 지금 모르겠어요. 하라면 할 것 같긴 하거든요. 엄청 걱정하고 있어요. 부장하고 싶은 사람 교무실로 내려오라고 연말에 그러시면 자발적으로는 신청 안 하고 안 내려가고 정도? 이거 좀 궁금해요, 방법이 있는지. 없지 않나요? 저는 피하는 방법을 몰라요. 그냥 없는 채 사는 거예요. 그렇다고 일 주지 말라고 일 부러 사고를 칠 수도 없고, 그쵸?

인터뷰2

생각하는 대로
사는 사람

 전국초등교사노동조합 위원장
정위원장 선생님

"

학생들이 자신의 문제를
스스로 해결할 수 있는
사람으로 자랐으면 좋겠어요.

인터뷰어 _ 김성은

첫 학교에서 전국초등교사노동조합을 만든 정위원장 선생님. 대화를 이어가다 보니 '생각대로 살지 않으면 사는 대로 생각하게 된다.'는 말이 떠올랐다. 생각하는 대로 살아가는 사람이라니, 유니콘이 아니냐고? 여기 바로, 정위원장 선생님이 그 어렵다는 생각하는 대로 사는 사람이다.

연남동 어느 카페

2020년 12월 7일 오후 3시

**생각하는 대로
사는 사람**

✎ 오프닝

언제 발령받은 몇 연차 교사이신가요?

2015년 5월에 발령을 받아서 만으로는 5년 차, 햇수로는 6년 차 교사입니다.

지금까지 맡았던 학년은 어떻게 되나요?

발령받은 해는 5학년 실과, 6학년 과학, 도덕 등을 맡았고, 2016 년도에는 2학년 담임, 2017년도는 6학년 영어 교과를 하면서 원어민 담당, 2018년도는 6학년 담임, 2019년도는 4학년 담임, 2020년도는 영어 교과를 맡고 있어요.

의외로 담임보다 교과를 맡은 경험이 많으신데요?

올해는 제가 영어 교과를 지원했어요. 외고 출신이기 때문에 교감 님이 영어를 잘할 거로 생각하시고 영어 교과와 원어민 담당 업무에 꽂 으셔서, 담임을 맡고 싶었지만 영어 교과를 맡게 되었어요.

✎ 담임교사로서

학급을 운영할 때 중요하게 여기는 가치관이 있으신가요?

'학생들이 스스로 얘기하는 것'을 중요하게 생각해요. 예를 들어 지우개가 없는 학생이 저에게 와서 "지우개가 없어요."라고 말하면, 상태를 표시하는 것이기 때문에 '너의 상태가 그렇구나.'라고 들어주기만 해요. 뭘 원하고, 어떻게 해 주기를 바라는 지를 자기가 자기 언어로 이야기해야 한다고 생각하고, 이것이 중요하다고 생각해요. 상태만 얘기하면 아무것도 변하지 않죠. 그래서 저는 항상 원하는 걸 직접 얘기하지 않으면 들어주지 않아요.

그렇게 하시는 이유가 있으신가요?

어느 순간 보니 아이들이 자기의 감정도 모르고 자기가 원하는 것도 뭔지 모르고, 그냥 상태만 계속 얘기하고 있는 게 너무 답답했어요. 처음에는 저도 애들이 싸운 경우에 '너희 사과해.' 이런 식으로 했는데, 생각해 보니까 그 아이가 원하는 건 아닐 수도 있겠더라고요.

그래서 '너는 어떻게 했으면 좋겠니?'라고 물어보니, '쟤를 혼내주면 좋겠어요, 얘랑 자리를 바꿔주면 좋겠어요.' 등 다양한 요구가 나왔어요. 그러니까 결국 자기가 얘기하게 하지 않으면 해결되지 않는 것이죠.

생각하는 대로
사는 사람

또, 감정 조절이 되지 않는 학생인 경우에 자기가 지금 당장 느끼는 감정이 뭔지를 몰라서 자제가 안 되는 경우가 있었어요. 1년 정도 원하는 것을 스스로 말하는 연습을 하니 욕구를 알아차리고 욕구를 이야기하는 훈련이 되었죠. 처음에는 이 방법이 귀찮지만, 나중에는 되게 갈등이 적어져요. 애들끼리도 "그럼 네가 나한테 원하는 게 뭐야?"라고 물어보구요. 서로의 요구를 이야기하는 게 습관이 돼서 집에서도 그렇게 된다고 하더라고요.

학부모들의 반응은 어떻던가요?

아이들이 그렇게 욕구를 얘기할 수도 있다는 것을 몰랐다고 하시더라고요. 아이에게 '네가 할래, 말래?' 결정하게 한다는 생각을 못 해보았다는 학부모님도 만나봤어요.

아이들이 어떻게 자라기를 원하시나요?

자기의 문제를 스스로 해결할 수 있는 사람으로 자랐으면 좋겠어요. 갈등이 있어도 그 갈등을 해결하는 방법 정도는 자기가 스스로 결정할 수 있었으면 좋겠어요.

그러기 위해 추가로 교육하시는 것이 있다면요?

인권 교육을 굉장히 빡세게 합니다.

어떤 인권 교육을 하시나요?

예를 들자면, 4학년 도덕에 결손 가정이 나와요. '부모님이 안 계시지만 동생을 잘 돌보는 누가가 참된 아름다움이다.' 이런 식으로요. 근데 이건 말도 안 되는 거예요. 이건 아이가 아이를 돌볼 게 아니라 사회 시스템이 부재한 거죠. 저도 모르게 이것을 두고 화를 많이 냈는데 나중에 아이들이 기억에 남는다고 이야기를 하더라고요. 성차별도 아예 프로젝트 수업으로 만들어서 교과서 속에서 찾아보게 해요.

교과서 속에서 어떤 내용이 나오나요?

저도 몰랐던 내용을 학생들이 찾아냈는데요. 교과서의 모든 삽화 중에 장애인 여자는 한 명도 없었어요. 모두 장애인 남자였고, 장애도 모두 신체장애이었어요. 그런 식으로 대표성을 띤 것이 굉장히 얕아요. 여자는 치마, 남자는 바지 이런 것도 되게 많고. 이렇게 차별을 주제로 프로젝트 수업을 하다 보니, 자연스럽게 서로 못된 말하는 게 사라졌어요.

또, 학생들에게 지도하는 것이 있는데, '서로 지적하는 말, 명령하는 말 하지 않기. 명령하는 말 하루에 3번 이상하면 친구들에게 존댓말 쓰기.'예요. 동등한 학생들인데 모둠 활동을 할 때 똑똑한 학생들, 예민한 학생들이 자꾸 이래라저래라하더라고요. 근데 사실 못한 애들이 못 하고 싶어서 못 하는 게 아니거든요. 그래서 그걸 못 하게 하려고 처음에는 시작했는데, 학부모님도 아이가 점점 명령하는 말을 안 쓴다고 하시더라고요. 처음에는 그냥 애들이 막 대장 노릇하는 것을 막으려고 시작을 했는데, 나중에는 정말 인성 교육에 도움이 된 거죠.

그렇다면 인권 교육에 관심을 가지게 된 계기가 있을까요?

본격적인 관심은 학교 노동 인권 교육 연수를 들었을 땐데 그 연수가 되게 인상 깊었어요. 저는 솔직히 주변에 노동자 계층분들이 있으시지 않아서 잘 몰랐던 얘기를 많이 듣게 되었죠.

생각해 보면 제가 가르치는 학생들이 어떤 회사를 들어가든 간에 아무튼 노동자가 될 거잖아요. 그런데 이런 것에 관한 이야기가 아무 데도 없어요. 초중고 어떤 곳에서도 진지하게 다루지 않아요. 대학교에도 노동법 내용은 나오지 않고, 어디를 가도 안 나와요.

처음 노동 인권 연수는 어떻게 신청하게 되신 건가요?

처음에는 학교가 너무 별로라, 제 노동 인권이 너무 소중해서 신청하게 되었어요.

학교가 별로였다니, 무슨 일이 있었나요?

교장님과 회식을 할 때면, 노래방을 가고, 아가씨 취급을 하고 학교는 약간 그런 시대였어요. 노래방 가서 모니터에 만 원짜리 딱 붙여놓고, 100점이면 따가고 그런 문화. 그게 알고 보니까 그게 술집 도우미들

"

노조는 조합원의 것이지,
위원장의 것으로
생각하지 않아요.

에게 팁 줄 때 하는 방법이더라고요. 아무튼, 저를 거의 노래방 도우미로 사용한 거였죠. 이런 경험들로 연수에 관심을 가지게 되었어요.

그 이후 계속 이런 연수를 들으셨나요?

네. 그 이후로 사실 사회학 대학원을 가려고 했어요. 그런데 성대는 합격했지만 제가 원하는 분야가 아니라 진학하지 않았고, 서울대는 '교대를 가지 왜?'라는 식으로 받아주지 않았어요. 그래서 집에서 사회학 개론 책 같은 걸 열심히 봤어요. 공부는 많이 됐습니다.

중·고등학교 시절부터 인권에 대한 관심이 있었나요?

기본적인 인권감수성은 있었는데, 저는 이게 당연하다고 생각해 왔어요. 이것은 박물관,미술관에 대한 관심에 대해서도 마찬가지인데, 저희 집 식구들이 박물관과 미술관을 좋아하기 때문에 모두 다 그럴 거라 생각했죠.

기본적 인권 감수성이란 무엇일까요?

차별하면 안 되고, 내가 항상 약자가 아닐 가능성이 있고, 내가 약자를 차별할 가능성이 있다는 것을 아는 정도?

✎ 전국초등교사노동조합 위원장으로서

전국초등교사노동조합(이하 초교조)를 만드시고 위원장으로 활동하시는 것으로 알고 있는데, 이런 활동도 노동인권 교육의 확장으로 볼 수 있을까요?

연결점이죠. 제가 노동인권 교육에 관심이 없으면 노조의 존재 자체를 별로 안 좋아했을 거예요. 제가 신규로 갔을 때 모 노조에 계신 분 때문에 힘들었던 경험이 있어요. 그분이 일을 안 하시면, 그 일들이 다 신규한테 오는 구조였기 때문에... 원래는 제가 제일 존경했던 선생님도 그쪽에 계신 분이었고, 노조를 좋아했는데, 학교 오니까 저는 너무 힘들었어요.

그러다 노조에 대해서 이해를 하게 되고, 그게 뭐 하는 곳인지 자체에 대한 공부를 하다 보니까, 결국에 약자들이 이길 수 있는 건 모이는 방법밖에 없더라고요. 우리가 절대적 약자는 아니지만, 정치적 참여에 큰 제약이 있잖아요? 그러다 보니 교사들의 목소리, 현장의 의견은 반영되지 않아요. 그래서 노조를 만들게 되었어요.

생각하는 대로
사는 사람

초교조를 만들게 된 계기가 있을까요?

본래 저는 인디스쿨을 잘 들어가지 않았어요. 그런데 교육감이 논란이 되는 발언을 하는 일이 있었고, 반응이 궁금해서 들어가보니 선생님들이 노조가 필요하다는 말을 하고 있더라고요. 그래서 '제가 만들까요?'하고 인디에 게시물을 올리니까 만들면 하겠다는 댓글이 80개가 달렸어요. 그래서 다음 게시물로 '필요하시면 밴드로 와주세요.' 했고, 3일 만에 2천 명이 가입했어요. 그렇게 초교조가 생기게 되었어요.

초교조가 어떤 곳이냐고 묻는다면 어떻게 설명할 수 있을까요?

초등학교에서 근무하는 선생님들이 전문성을 정상화하는 곳. '초등학교 교육성 정상화'가 초교조의 캐치프레이즈예요. 초등학교 선생님들이 전문성이 분명 있는데, 전문성이 없는 것처럼 보이잖아요. 그러니까 그것을 정상화하는 거죠.

초등학교 교사의 전문성이란 무엇일까요?

아무래도 학급 경영이 있을 것이고, 수업 지도도 있겠죠. 아이들과 대화할 때, 발달 단계에 맞게 설명할 수 있는 것이 전문성인데, 마치 아무나 할 수 있는 것처럼 봐요. 이게 정말 아무나 할 수 있는 게 아닌데... 또한, 수업을 디자인하는 것도 교사죠. 교사는 굉장한 전문직인데 선생님들조차 자신이 전문직이라고 인식을 못 하는 것 같아요.

만들어진 지 햇수로 1년이 되어가는데, 조합이 초반과 달라진 점이 있나요?

처음에는 되게 좌충우돌하고, 일도 임원들이 대부분 다 했다면, 지금은 업무분장을 다시 해서 무슨 일이 생기면 자동으로 알아서 착착 일을 가져가게 되었어요.

조합 초창기의 본인과 지금의 본인의 차이가 있다면 무엇인가요?

저는 실은 새로운 사람 만나는 것을 별로 좋아하지 않아요. 원래 알고 지내던 사람과 무리에서 노는 것은 즐거운데 말이에요. 그런데 지금은 자연스럽게 낯선 사람들을 만나게 되니까 많이 극복했어요.

노조가 아니라면 만나지 않았을 것 같은 사람을 만나서 선생님에게 생긴 변화가 있나요?

세상에는 훌륭한 사람이 많다는 것을 알았어요. 남을 위해서 열심히 사시는 분들이 많더라고요. 예를 들어서, 대부분의 많은 위원장님들이 사실 본인이 조용히 있었으면 학교에서 큰 손해를 입지 않고 지낼 수 있었을 분들이에요. 그런데 다들 무엇인가 잘못되었다고 생각하고 뜻이 있어서 오신 분들이다 보니까 기본적으로 남을 위하는 성향이 있으시죠. 그런 점이 대단하다고 생각해요.

생각하는 대로
사는 사람

위원장으로서 초교조를 운영하는 철학이 있다면 어떤 것인가요?

초교조는 조합원의 것이지, 위원장의 것으로 생각하지 않아요. 조합은 조합원이 모여 만들어져요. 위원장은 임기 끝나면 바뀌지만, 조합은 사라지지 않아요.

또 제 신념과 조합원의 의견이 부딪힌다면 무조건 조합원의 의견이 먼저예요. 예를 들어, 저는 노동인권에 관심이 있는 만큼 계약직이나 공무직 파업에 호의적인 편이에요. 하지만 조합원 다수에 의해 부정적으로 대응하기로 결정한다면, 저는 나서서 부정적으로 이야기할 거예요.

초교조 위원장이라는 자리가 부담스럽지는 않나요?

결정은 조합원 분들이 해 주시고, 저는 책임만 지기 때문에 부담스럽지 않아요. 제가 잘못된 결정을 해서 피해를 줄까 봐 늘 걱정인데, 제가 잘못된 결정을 내려도 다른 분들이 반대하거나 수정해주시면 좋은 방향으로 갈 거라고 생각해요.

어떤 책임을 진다는 것인가요?

모든 법적 책임은 제가 지는 것이죠. 노조 등록이 제 이름으로 되어있고, 노동고용부에 제 이름이 등록되어 있고, 법인의 소유주도 저로 되어있어요. 따라서 경제적, 법적 모든 책임은 제가 져요.

전국초등교사노동조합 위원장
정위원장 선생님

보통 이런 일들을 부담으로 느끼는 사람들이 많을 텐데, 부담이 없을 수 있나요?

주변에서 대단하다고 이야기해주시는 분들도 많은데, 저는 잘 모르겠어요. 저는 제가 필요하다고 초교조를 만들었고, 그렇다면 제가 감수해야 하는 부분 아닐까요?

또, 개인으로서보다는 조합을 운영하는 것에서 보면 저는 조정자예요. 문제가 있으면 다른 사람의 의견을 들어보고, 여러 의견에 따라서 이렇게 한다고 정하면 되니까, 제가 부담스러울 것은 없어요.

초교조를 운영하는 것에 대한 주변 반응은 어떤가요?

다들 대단하다고 많이 이야기하시는데, 저는 여전히 별로 대단한 사람이 아니라고 생각해요.

교장선생님은 되게 많이 지지하고 응원해주셨어요. 관련 이슈가 있으면 따로 불러서 말씀도 해주세요. 노조를 만들기 전에는 제가 인권에 관심이 있는 것을 아시고, 함께 노동 인권 연수도 들었어요. 노조를 만든다고 할 때도 '열심히 해봐라, 건강 조심하고.'라고 해주셨어요. 되게 좋은 분이세요.

부모님은 '그러냐~'하셨는데, 제가 대학교 2학년 때 엄청나게 반대하셨는데도 결국 인도에 다녀온 이후로 제가 하는 일들에 대해서 말리

생각하는 대로
사는 사람

지 않으세요. 친구들은 '네가 뭔가 할 것 같았다, 멋있다, 가입하겠다.'라고 반응해줬어요.

학교 선생님들은요?

학교 선생님들은 잘 모르세요. 이야기를 안 했어요.

왜 이야기를 하지 않으셨나요?

학교에서는 그냥 6년 차 교사인데, 사람들이 저를 통해서 초교조를 판단하지 않았으면 좋겠다고 생각했어요. 저는 업무를 잘하는 것도 아니고, 주어지는 일은 열심히 하지만, 일을 잘하거나 나서서 맡고 그런 사람이 아니에요. 경험도 일천하고. 선배 선생님들에 비하면 아는 것도 많지 않죠. 그래서 저와 초교조를 다르게 봤으면 좋겠어서 이야기 안하고 있는 편이에요.

5년차가 노조를 만든다는 게 쉽지 않은 것 같은데, 아직 내가 아는 게 없는데.. 그런 생각이 들지는 않았나요?

위원장은 그저 위원장일 뿐이에요. 물론, 위원장의 일도 있지만, 모든 일을 제가 결정하는 게 아니죠. 제가 경력과 생각이 부족하면 이걸 보완해줄 수 있는 다른 사람들이 있으니까 괜찮다고 생각해요.

예를 들어, 저는 추진력이 좋은 대신 디테일은 흘리고 다녀요. 뭔가 열심히 하고 뒤를 돌아보지 않아요. 꽂히면 계속 가요. 그런데 집행

위원장님이 경력도 있으시고 학교에 대한 이해도 있으셔서 크게 봐주세요. 다른 임원 분들이 모두 꼼꼼하셔서 제가 말을 직설적으로 하면, 부드럽게 할 수 있도록 바꿔주세요. 제가 흘리고 다니는 것들도 잘 조직화, 정리해주시고요.

노조는 꼭 필요하지만 나서서 맡는 것은 부담스럽고 귀찮은 일이기도 할 거예요. 그래서 저에게는 위원장이라는 역할이 총대를 메는 일로 여겨지는데, 어떻게 생각하시나요?

저는 그렇게 생각하지 않아요. 필요하니까 만들었고, 만들었으니까 계속하는 거죠.

필요함을 아는데, 참여하지 않는 사람들을 봤을 때는 어떤 생각이 드시나요?

그럴 수도 있다고 생각해요. 사람마다 다르기 때문에. 저는 다른 분들이 왜 이 일을 부담스럽게 느끼는지 이해를 못 하는 것처럼, 그분들에게는 그분들의 불편함이 있을 것이고 다른 면에서 열심히 하는 것이 있지 않을까요.

이렇게 노조 활동을 열심히 하지 않더라도, 수업 연구를 열심히 한다든가요. 초교조는 초등교사의 전문성 회복을 목표로 하는데, 그런 것들도 전문성 회복이 되는 거잖아요. 저는 방법이 노조 활동에 투신하

❝

제가 박물관을 너무 좋아해서
모든 사람이 박물관을
좋아했으면 좋겠어요.

는 것만 있다고 생각하지 않아요. 전문성을 회복하려면 연구를 열심히 하고 수업을 열심히 하는 것도 필요해요.

초교조 활동 중에 뿌듯하거나 기억에 남는 활동은 무엇인가요?

돌봄 문제 자체를 목소리를 모아서 수면 위로 끌어 올린 것이 크다고 생각해요. 지금까지 학교에서는 교육청 교육부가 하라는 대로, 힘들지만 참고 다 해왔어요. 돌봄도 마찬가지예요. 학교의 일이 아니고 교육과는 관계없다고 생각해 왔지만, 아이들을 위한 거라니까, 위에서 하라니까 어떻게든 운영해 왔어요. 하지만 초교조를 만들고 문제제기를 하니까 돌봄 관련 협의회가 생기고 토론회가 생겼어요. '돌봄이 교육인가? 보육이 교육인가?'라는 논제를 많은 사람들이 고민하게 된 것 자체가 업적이라고 생각하고 있어요. 나름대로 자랑스럽습니다. (웃음)

✎ 개인적인 관심사

생각하는 대로
사는 사람

필요하니까, 해야 하니까 한다는 마인드가 참 멋있어요.

저는 늘 그래왔어요. 저는 다양한 취미생활을 즐기는데, 예를 들어서 한복에 관심이 있었던 시기가 있었어요. 그때 책 보고 스스로 한복을 만들었어요.

그런 경험이 많으신가요?

항상 그런 식인데, 그리스 관련 강좌를 들었는데 되게 재미있었어요. 그럼 그리스에 가요. 그리스 관련 강좌에서 아테네를 중심으로 한 델로스 동맹에 나오는 델로스섬에 대한 설명을 들었어요. 교수님이 말씀하시기로, 그곳은 너무너무 황량하고 아무것도 없다더라고요. 그래서 정말 아무것도 없나 보러 갔어요. 가장 번영했던 곳인데 가장 철저하게 파괴된 곳. 정말 아무것도 없더라고요. 만족했어요.

좋아하시는 것이 또 있나요?

박물관, 미술관, 홍차 등을 좋아해요. 홍차는 저 정도 있어요. (인터뷰를 홍차 카페에서 진행해서 앞에는 세 상자의 홍차가 있었다!)

박물관, 미술관은 언제부터 좋아하셨나요?

박물관, 미술관은 어릴 때부터 좋아했어요. 어머니께서 국사학과 출신이시고, 아버지도 역사에 관심이 많으셔서 국내의 유명한 사적지와

"

늘 배우고,
다른 이들의 이야기를 잘 듣고,
행복한 사람이 되고 싶어요.

박물관은 다 가봤어요. 그래서 어릴 때는 모든 사람들이 어릴 때부터 박물관에 다니고 좋아하는 줄로 알았죠.

유물이나 미술품 중에 특히 좋아하시는 것은 무엇인가요?

회화 중에는 모자이크를 가장 좋아해요. 이탈리아에 라벤나라는 도시가 있는데, 그곳은 정말 모자이크가 아름다워요. 인간이 눈을 가진 것은 그곳을 보기 위해서예요!

정형화된 아름다움도 좋아해서 중세 미술도 좋아해요. 미켈란젤로의 피에타도 좋아하는데, 보통 아는 그 피에타가 아닌 피렌체 두오모 박물관의 미완성 피에타를 좋아해요.

박물관, 미술관 중에 더 선호하시는 곳은 어딘가요?

저는 미술관보다는 박물관을 더 좋아하는 편인데, 유물, 금과 보석을 아낌없이 쓴 것들을 좋아해요. 제가 근처에도 못 가 볼 것들을 입장료만 내면 보게 해 준다니 얼마나 좋아요!

박물관 연출도 굉장히 좋아하는데, 두오모 박물관의 사도 요한을 보다가 오른쪽으로 딱 돌면 피에타가 보이게 되어있더라고요. 그런데 보는 순간 '저것이 죽음이다. 저게 생명이 빠져나간 육신이다.'라는 생각이 들더라고요. 그래서 내년에는 박물관, 미술관 교육 석사 과정을 시작할 예정이에요.

관련된 교육을 전공하면 무엇을 해보고 싶나요?

피렌체 우피치 미술관에 가면 '비너스의 탄생'을 손으로 만들 수 있는 부조가 있어요. 무슨 이야기냐면 비너스의 탄생은 평면인데, 이것을 시각장애인이나 아동을 위해서 높낮이를 둬서 만들어둬서 만지면서 작품의 생김새를 알 수 있게 하는 거죠.

그것을 보고 충격을 받았어요. 저는 당연히 미술관은 보고 감상하는 것이라고 생각했는데, 만질 수도 있고, 들을 수도 있고 냄새 맡을 수도 있는 거예요. 사실 먹을 수도 있어요. 예를 들어, 김포 롯데백화점에서 쥬라기 월드 특별전을 했었는데요. 거기서는 쥬라기 월드 공룡 모양 쿠키를 팔았어요. 그런 하나하나가 박물관이나 미술관에 대해서 인식을 좋게 하죠. 저는 제가 박물관을 너무 좋아하기 때문에, 이런 시도로 모든 사람이 좋아했으면 좋겠어요.

특히나 아이들 입장에서도 박물관을 바라보시겠네요?

애들이 박물관 싫어할 수밖에 없는 게 '뛰지 마라, 얘기하거나 떠들지 마라.'라며 하지 말라는데 누가 좋아하겠어요. 그런데 생각해 보면 가까이 가지 말고, 뛰지 말라고 하는 것은 뭔가가 넘어져서 다칠까 봐 그런 것인데, 그러면 넘어져서 다치게 만든 박물관이 잘못한 거예요. 그거를 어떻게 뛰어도 망가지지 않게 만들어야죠.

생각하는 대로
사는 사람

그리고 우리나라 박물관들은 대가 굉장히 높아요. 아이들도 그렇고 만약에 내가 휠체어를 타고 있으면 못 보는 거죠. 또, 우리나라는 모든 걸 너무 전자식으로 하려는 게 문제라고 생각해요. 전 오히려 아날로그적인 교육 방법이 필요하다고 생각해요. 특히 박물관은요.

대영박물관 가서 되게 신기했던 것이, 실제로 학예 연구사가 나와서 앉아있어요. 그 사람이 이런저런 유물들을 앞에 가져다 놓고 사람들에게 설명하는 거죠. 심지어 만져볼 수도 있어요. 저는 방문했을 때, 우로의 쐐기문자가 적힌 진흙 판을 만져보았어요. 생각보다 쐐기문자가 되게 부들부들 해서 신기했죠. 이렇게 사람들이 이렇게 직접 만져보고 직접 학예사와 이야기 해보고 하면 당연히 박물관이란 곳이 재밌는 곳이 될 거에요.

이런 취미생활이 교실에 미치는 영향이 있나요?

현재 영어 교과전담을 하고 있는데, 외국에서 있었던 에피소드를 이야기해주면 되게 신기해하고 좋아해요. 또 미술 사진 자료를 가진 것이 많아서, 미술 수업할 때, 예시 작품 보여주기가 편해요.

✎ 클로징

앞으로 어떤 교사로 성장하고 싶은가요?

늘 배우는 사람. 교사라는 직업의 최대 장점이 내가 무언가를 배우면 전 국민이 박수를 쳐준다는 거라고 생각해요. 세상의 어떤 직업이 내가 공부를 열심히 한다고 훌륭한 사람이라고 이야기하겠어요. 하다못해 제가 미술사 공부를 열심히 해서 '미술사 공부를 열심히 하는 선생님이에요.'라고 하면 사람들이 훌륭하다고 하잖아요. 선생님이 교재니까. 교사가 잠재적 교육과정이다 보니까 교사가 공부를 열심히 하는 것을 전 국민이 긍정적으로 생각하고 지원해주죠.

위원장으로서는 어때요?

잘 들어주는 위원장이 되고 싶어요. 조합원, 조합원이 아닌 사람들의 이야기도 잘 들어주는 위원장. 조합원의 이야기만 들어서는 해결이 안 되는 문제도 있단 말이에요. 예를 들어, 돌봄 전담사 문제. 그분들이라고 해서 어려운 게 없겠어요? 그걸 조정해가는 게 위원장의 역할이라고 생각해요. 그렇게 잘 듣고 조정해주는 사람이 되고 싶어요.

생각하는 대로
사는 사람

마지막으로, 어떤 사람이 되고 싶나요?

행복한 사람이 되고 싶어요. 내가 좋아하는 것을 좋아하는 사람과 즐기는. 행복한 사람이 되고 싶어요.

언제까지 교사를 하고 싶나요?

저는 항상 이직의 꿈을 꾸고 있어요. 지금 당장의 꿈은 박물관 미술관 교육을 해서 박물관 교육 학예사로 나가는 것을 해보고 싶어요. 아니면, 교육부나 교육청의 연구 교사를 해보고 싶어요. 저는 연구가 재밌거든요. 교사는 계속할 건데. 왔다 갔다 하고 싶어요.

두 번째 학교에서 어떤 모습일 것 같나요?

자기 몫은 하는 사람이 되고 싶어요.

인터뷰3

내가 '섬마을' 선생님이라니!

 거제로 발령 난
곽오지 선생님

"

발령 난 학교에서
내일 당장 거제도로
내려와야 한다고
전화가 왔어요.

인터뷰어 _ 정휘범

남해 바다의 품에 안겨 있는 섬, 거제도. 관광지로만 생각했던 이곳에도 아이들과 학교는 있고, 교사가 있다. 발령을 받아 처음 와 본 거제에서 신규 교사의 생활을 시작하는 곽오지 선생님. 첫 학교도 여기에서의 삶도 그에게 낯설다. 의미로움과 떠남을 한 마음에 품은 그의 낯섦은 어떤 결을 가지고 있을까.

거제 바닷가의 어느 카페
2020년 11월 25일 오후 3시

**내가 '섬마을'
선생님이라니!**

🎤 <u>오프닝</u>

첫 학교인 여기에 언제 발령이 났어요?

올해, 2020년 3월 1일자로 발령이 났어요. 학교에서 내일 당장 거제도로 내려와야 한다고 전화가 왔어요. 그래서 거제에 처음 내려온게 2월이에요. 거제는 태어나서 처음 와봤기도 하고, 이렇게 급작스러울 줄 몰라서 너무 당황스러웠어요. 오는 길에 울었거든요. 그 길이 지금도 생생해요.

올해 학급이 처음 맡은 아이들이네요?

아니요. 작년에 1년 동안 기간제 근무를 했어요. 1학기는 3, 6학년, 2학기는 6학년 영어 전담을 했었어요. 올해보다 작년 아이들이 첫 제자인 느낌이에요.

지금 근무하는 학교는 어디에 있어요?

거제도 바닷가에 있는 완전 시골 학교예요. 학교 쪽은 출근만 하는 데라 어떤 곳인지 잘 모르고, 제가 사는 데는 옥포라는 곳이에요. 거제도는 고현이 압도적인 중심지고, 옥포는 그다음 정도 돼요. 거제라고 하면 엄청 시골인 줄 아는데, 스타벅스도 있고 버거킹도 있는 나름 중심지예요.

✎ 섬마을 생활이란

출퇴근 거리가 멀겠는데요?

처음에는 버스를 타고 다녔었는데, 저보다 한 달 빨리 발령을 받으신 행정실 주무관님이 완전 이웃사촌인 거예요. 그래서 저를 카풀해주시고 있어요. 너무 편하고 감사하죠. 근데 낡은 학교 사택이 이번에 새로 지어지거든요. 주무관님은 거기 들어가신다고 하시더라고요. 이제부터는 버스 타고 다녀야 할 것 같아요. 더 잘해드릴걸.

내가 '섬마을'
선생님이라니!

‟
확실히 시골이구나 느꼈던 게
8, 9시만 되면
사방이 깜깜해요.

항상 바다가 보이는 출퇴근길을 가진 소감이 어때요?

오가는 길 내내 바다가 보여요. 처음에는 창문도 열고 '진짜 낭만적이다!' 싶었는데, 요즘 주무관님이랑 차 타고 가면서는 "아 진짜 싫다. 우리가 이 바다를 두고 출근을 하는구나." 해요. 너무 싫다. (웃음) 아무리 예쁜 거제 바다도 출근길은 힘들더라구요.

자라면서 살아왔던 곳이랑 비교해보면?

아주 어렸을 때는 인천에 살았고, 다음엔 경남 진주에 살다가 인천으로 대학을 갔어요. 사실 느끼기에 큰 차이는 없는 거 같아요. 진주랑 여기 거제랑. 진주 살 때는 이만큼 진주가 막 발달하지 않았었고, 학생 땐 행동반경이 집 아니면 학교니까. 비슷한 것 같아요.

이곳 동네 주민들은 어떤 분들이에요?

거제가 부흥했던 게 조선소 때문이라고 하더라고요. 그래서 주민들이 거의 대우조선, 삼성중공업 분들이세요. 어디 밥을 먹으러 가면 다 조선소 유니폼을 입고 계세요. 저희 반 애들 부모님 직업도 거의 두 부류예요. 조선소 다니시거나, 아니면 어부시거나.

내가 '섬마을'
선생님이라니!

지방에는 젊은 사람이 많이 없다고 하던데.

없어요. 길 다니면서 저랑 비슷한 나이대를 만난 적이 거의 없는 것 같아요. '왜 이렇게 없지?' 생각해보니까 평일에 여기 있을 만한 청년이 없겠더라고요. 여기 대학교가 있나? 없고. 일자리도 조선소 아니면 공무원 이렇게밖에 없을 테니까.

지금 사는 집은 어떻게 얻었어요?

하루 만에 구했어요. 발령 전화를 받고 아빠한테 전화했죠. "내일 집을 구해야 된대." 했더니, 아빠가 "<직방> 깔아라." (웃음) 그래서 직방으로 저 하나, 아빠 하나 찾았어요. 급하게 집을 구해야 해서 그냥 두 개만 보고 그중에 나은 데로 결정을 하자, 해서 지금의 집에 살고 있어요.

집을 잘 고른 것 같아요?

차가 없다 보니까, 여름에 왔다 갔다하는 게 좀 불편하더라고요. 내년에 이사를 생각 중이에요. 이번에는 몇 달 보면서 결정하려고요.

거제 생활이 이전 생활과 다른 점이 있어요?

많이 많이 다른 것 같아요. 음, 누릴 수 있는 문화시설? 이런 게 거의 없어요. 서점을 가려고 해도 고현까지 가야 하고, 그나마 거기 서점도 크지 않고. 전시는 아예 없고. 옷을 사고 싶다 해도 그럴 수 없더라고요. 편의시설도 좀 없고.

제일 많이 느끼는 차이는, 친구들을 만날 수 없는 거. 저는 대학 생활이 거의 인맥의 전부라고 해야 하나? 그 친구들이 대부분 인천 경기 쪽에 있어서 잘 못 봐요. 예전에 인천에 있을 때는 주변에서 '만나자, 약속 잡자.' 이러면 안 나갔거든요. 혼자 있는 시간이 훨씬 중요하다 생각해서 약속을 최소한으로 잡았어요. 그래서 저는 사실 여기 생활에 별 무리가 없을 줄 알았어요. 그런데 아니더라고요. 오히려 멀어지니까 제가 갈급해지고. 전화 한 통이 너무 반갑고. 옛날에는 전화 오는 걸 보고도 사실 귀찮아서 안 받을 때도 있었거든요? 이제는 재깍재깍 반갑게 받죠. 연락 오면 약간 감동적이기도 해요.

함께 생활하는 사람이 있어요?

주말에는 진주 집에서 가족들이랑 같이 보내고, 평일에는 혼자.

원래의 성향은 혼자 지내는 것이 좋은 편인지, 함께 생활하는 게 좋은 편인지?

대학교 때는 기숙사 생활도 했고, 항상 누군가와 공간을 나눠 쓰고 주변에 사람이 계속 있었어요. 그러다 보니까 너무 혼자 있고 싶어서 진짜 이불 뒤집어쓰고 있던 적도 있어요. 그래서 저는 이 혼자의 생활이 되게 잘 맞을 거라고 생각했어요.

내가 '섬마을' 선생님이라니!

한 달 정도는 괜찮았거든요? 첨엔 엄청 즐길 수 있었는데, 한 달 넘어가니까 너무 쓸쓸하고 심심해지고. 음, 거제도에 와서 입에 달고 사는 말이 "심심하다, 심심해."예요. 제가 사람 많은데 가서 사람 구경하는 걸 좋아하거든요. 카페 가서도 들리는 옆 이야기 재밌어하고. 이랬는데 여기는 스벅도 너무 좁고, 사람이 없어요. 그래서 거의 혼자 있는 것 같아요.

아침과 저녁 식사는 어떻게 해결해요?

아침은 안 먹고, 저녁은 엄마가 싸주신 밥? 엄마가 저 여기 내려와서 제일 좋아하시는 게 집밥 먹이시는 거예요. 제가 인천으로 대학 가면서 식생활 습관이 다 무너졌는데, 그게 엄청 못마땅하고 염려스러우셨나 봐요. 그래서 요즘 엄마가 항상 주말에 반찬 싸주신 거로 저녁을 먹어요. 진주 가면 반찬들 담아서 들고 오죠.

딱히 요리할 일이 없겠어요.

사실 요리에 관심이 없기도 하고. 저는 라면도 컵라면이 좋더라고요. 가스레인지가 고장이 났는데, 고칠 생각을 아예 하지 않았어요. 굳이 필요가 없어서. 켤 시도조차 안 해봤는데, 엄마가 오셔서 이거 되는 거냐며 켜 봤어요. 제가 "되지, 그럼." 했는데, 엄마가 안 된다는 거예요. "안 돼?" 그때 처음 알았어요. 이사하고 한 달 후에. 엄마가 아니었으면 계속 몰랐을 거예요. (웃음)

이번에 봤더니 바닷가라 그런지, 가스레인지에 곰팡이가 피어 있었어요. 걱정이죠, 나중에 집주인이 제가 고장 낸 줄 알 까봐. 주인한테도 아예 얘기를 안 했거든요. 전혀 필요가 없어서.

군것질이나 야식이 당길 때는 어떻게 해요?

저는 식사보다 야식이 주식일 정도예요. 먹을 때 거하게 먹고. 엄청 좋아해요.

거제에서도 배달 앱이 돼요?

하.. 여기가 확실히 시골이구나 느꼈던 게 8, 9시만 되면 사방이 깜깜해요. 카페도 유명한 데 가려고 하면 퇴근하고는 못 가요. 닫는 시간이 거의 6, 7시 이래요. 저는 카페 가서 멍 때리거나 책 읽는 게 힐링인데... 저녁 안 먹고 가도 한 시간 있을 수 있나? 오래 있지 못하죠. '왜 이렇게 사람들이 느긋하냐. 여긴 경쟁 사회가 아니다.' 싶어요. 그러니 배달 음식도 치킨은 저녁까지 되는데, 다른 건 거의 안되더라고요. 인천, 서울 이런 데는 엄청 잘 돼 있잖아요.

첫 발령이라 옷이나 액세사리를 살 일이 많을 텐데, 어디서 사요?

원래 'ZARA'라는 브랜드에서 옷을 많이 샀었어요. 그리고 옷을 사면 계절 가면서 거의 다 버렸거든요. 싼 옷을 사기도 했고, 별 생각 없이 옷이 예쁘면 샀으니까요. 그러니까 오래 입을 수가 없었는데, 작년에 어떤 영상을 보면서 패스트패션? 그게 인권에 얼마나 악영향을 미칠 수 있는지, 환경에 얼마나 나쁜지 알게 됐어요. 그런 거에 관심 있는 기업들도 있더라고요. 아우터 찾아보면서는, '파타고니아'가 그렇다고 하더라고요. 인권을 착취하면서 옷을 싼값에 생산하는 브랜드가 아니고, 옷의 소재 자체도 재활용이고요. 그래서 작년부터 '자제하자. 웬만하면 사지 말자. 그렇게 생각해와서 그런지, 올해 옷을 많이 사진 않았어요. 월급도 너무 자그마해서. 자그마아아아아... 하더라고요. (웃음)

뭔가 살 때는 당근마켓을 자주 이용해요. 요즘 찾아보는 건 에어팟? 사고 싶은데 정가를 주려니 너무 비싸서. 키워드 알림을 해 놓고 지켜보고 있어요.

당근마켓은 지역 기반이죠?

지역 기반이다 보니까, 사실 거제도에서는 거의 안 나오고, 진주까지 가서 해요. 나와도 제가 관심이 있는 물건들은 잘 안 나오죠. 저랑 비슷한 나이대의 사람들이 많이 없다 보니까.

되게 알뜰해요.

근데, 아니에요. '싸게 샀네?' 이러다보니까 또 사요. 지금 입고 있는 이 옷도 당근마켓에서 샀는데, 텍이 달려 있는 새 제품이었어요. 너무 편해서 잘 샀다고 생각하고 있어요. 그래서 이걸 하나 더 샀어요. 돈을 아꼈으니까, 또 올라오길 기다렸다가, '자주 입겠지?' 하며 또 샀어요.

하루 중 언제가 가장 좋아요?

자기 전에 워머로 향초 불만 켜놓고, 향기 맡으면서 그 불로 책 보는 시간 제일 좋아해요. 사실 활자에 집중이 되진 않아요. 너무 어둡고. (웃음) 그냥 그런 분위기에서 책을 읽는다는 거. 분위기에 취하는 것 같아요. 아무도 보지 않지만 스스로 그 시간에 되게 만족하고.

동네가 어두워서 밤에 다니기는 조심스럽겠어요.

집에서 누우면 닿는 정도의 거리에 학교가 하나 있어요. 문을 열면 선생님들 연구실이 보일 정도. 그래서 어느 정도 괜찮은 것 같아요.

퇴근 후엔 어떻게 시간을 보내요?

1학기 때는 집에 오면 잠을 두 번 잤어요. 다른 걸 할 에너지가 아예 없었던 것 같아요. 퇴근하자마자 자고 느지막이 일어나서 책 읽거나 책 사거나 당근마켓. 유튜브도 보고 집안일 하다 다시 자요. 소소해요.

얼마 전엔 추천사를 쓰느라 시간을 좀 들였어요. 작년 2학기 기간제 할 때 같이 근무했던 선생님이 책을 쓰셨는데, 신규교사의 생각을 듣고 싶으시다고. 제가 생각이 나셨대요. 그래서 소감을 보내드렸죠. 음, 엄청 기분이 좋았죠. 나를 기억해 주셨구나. 그 책이 이번 주에 나왔더라고요. 읽으면서 너무 좋아서 기분 전환이 확실히 됐습니다.

생활이 무너지는 때는 없었나요?

저는 약간 폭식증이 있어요. 스트레스 받으면 미친듯이 먹어요. 거제 와서 여러번 토한 거 같아요. 왜인가, 뭐가 이렇게까지 스트레스를 준건가. 올해만큼 자아효능감이 바닥인 적이 없더라구요. 업무든 수업이든 뭘 해도 참 시원치않고 어설프고 엉망이고... 너무 쭈구리같았어요. 이 것밖에 못하나 스스로 답답해하면서 스트레스를 많이 받았나봐요. 코로나 때문에 다른 취미생활이 불가능해서 먹는 걸로만 풀었던거 같아요

몸이 아프진 않았어요?

다행히 몸은 엄청 건강했어요. 엄마 밥의 영향이라고 확신하고 있어요. '먹는 게 엄청 중요하구나.' 싶죠.

거제가 유명한 관광지니 가보고 싶은 곳이 많았을 것 같아요.

카페를 좋아해서 가보고 싶은 데는 거의 다 가봤어요. 근데 차가 없으니까 되게 불편하더라고요. 여긴 시골이라 지하철도 없잖아요. 그래서 버스 한 번 타려면 엄청 오래 기다려야 하고, 시간 잘 맞춰 가야하고.

돌아올 때도 제가 돌아오고 싶다고 돌아올 수 없어요. 그래도 구석구석 다니고 있어요.

그중에 힐링이 되는 장소가 있어요?

책을 같이 판매하는 작은 카페 한 곳을 너무 좋아해요. 그런데 하필 저희 반 학부모님이 사장님이셔서... 방문을 자제하고 있어요. 너무 아쉬워요.

외로움을 극복하는 나름의 방법이 있다면?

저 라디오 들어요. 음 집에 있으면 오디오가 비는 게 되게 쓸쓸하더라고요. 말 걸어 주는 사람도 없고 들리는 말소리도 없고 이러니까. 그래서 '팟빵'도 깔고 라디오 앱도 깔고 설거지하면서 듣고 문자도 보내 보고. 아끼듯이 모아뒀다가 잠이 안 오는 새벽에 듣는다든지. 외로움에 엄청 도움이 돼요. 한 번은 제가 보낸 문자를 실시간 방송에서 읽어주더라고요. 어! 깜짝 놀랐어요.

많이 듣는 프로그램이 뭐예요?

김이나의 '별이 빛나는 밤에' 좋아해요. 김이나 작사가를 잘 모르지만 영상들을 찾아보면서 멋있는 분이시라고 생각했거든요. 근데 마침 그분이 라디오를 하셔 가지고 너무 잘 듣고 있어요.

내가 '섬마을'
선생님이라니!

66

2년 정도는
가족이랑 보내도
되겠다.

정말 모임 한번 한번이 반갑겠어요.

소중하죠. 아 귀하다! 코로나19 때문에 취소되면 너무 아쉽고. 한 선배 선생님께서 2주에 한 번 신규교사들을 진주 집으로 초청해주시는데, 거기 가면 '다 같은 마음이구나.' 느껴요. 사람들이 되게 멀리서 오거든요? 한 분은 부산에 사는데 발령은 경남에 났어요. 그래서 부산에서 일찍 출발해서 진주로 오시고, 모임 후에는 몇 시간 걸려 또 발령지로 가야 하는데. 그래도 오더라고요. '아 다들 갈급했구나.' 싶죠.

한 번 상황이 좋아졌을 때 경남 지역 교사들 모임에 갔어요. 그때 저는 싱글벙글했어요. 이렇게 모였다는 것만으로도 음, 감격스럽다고 해야 하나? 모임 하나하나가 엄청 소중하게 여겨져요.

주변 사람들은 거제에 발령 났다고 하니까 반응이 어땠어요?

다들 "아이고..." 하면서 불쌍히 여기죠. 서울에만 살았던 친구들은 조심스럽게 "내가 지방에 대해서 잘 몰라서.. 거제도가 어느 정도 시골이야?"라며 다들 근심하고, 묻기도 조심스러워해요. '거기 사람이 살수 있나?' 하는 느낌? 조심하라는 분도 있었어요. 전에 섬 여교사 사건이 있었잖아요. 그 정도 상황인 줄 알아요.

진짜 웃겼던 게, 저의 연애에 대해 근심이 많은 언니가 있어요. 저거제도에 발령 나면서, 그 언니가 "연애해야 하는데 거제에 사람이 어딨냐. 거기서 청춘을 보내다니."라며 걱정을. 요즘도 시도 때도 없이 전화해서 "누구 없냐?" 물어요. (웃음)

내가 '섬마을'
선생님이라니!

✎ 발령이 거제로 난 사연

교대생 때는 어디에서 어떤 모습으로 가르치고 싶었어요?

대학생 때 주변에서 시골 학교에서 자유롭게 가르치는 게 어울릴 거 같다는 말을 많이 들었거든요? 근데 정말 첫 발령이 시골로. (웃음)

어느 지역일지는 생각 안 해본 것 같아요. 진짜 딱 내가 맡을 교실만 생각했었는데. 교대생 때 떠올렸던 교실의 모습을 생각해보면 저는 제가 바라던 교실에 와 있는 것 같아요. '사랑이 많이 필요한 아이들을 만나고 싶다.' 그랬었는데. 그때 생각했던 거랑 잘 맞는 학교에 와 있는 것 같아요.

인천교대에서 언제 경남지역 임용을 보려 마음먹었어요?

대학교 때 까지만 해도 저는 인천. 넓어지더라도 경기도라고 생각했어요. 사실 경남은 아예 마지막 순위? 왜냐하면 가족이 있기 때문에.

가족이 있어서 피하고 싶은?

네, 피하고 싶은. 그래서 경남은 아예 생각도 안 했었죠. 그랬었는데 임용고시를 치던 그해에 지인이 상을 당해서 장례식장에 갈 일이 있었어요. 장례식장에 가보는 게 처음이고, 가장 가까운 사람이 상을 당하는 것도 처음이었고. 옆에서 지켜보면서 제가 되게 많이 울었었거든요.

그때 많이 느꼈어요. '생과 사가 종이 한 장이구나. 가족들이랑 지금 같이 있지 않으면 평생을 처절하게 후회할 것 같다. 시간이 없다.' 이게 피부로 확 와닿았어요. 경남 임용을 마음먹는 기점이 된 것 같아요.

후회할까 걱정하는 남다른 이유가 있을 것 같아요.

저는 고등학교 때까지 무기력하고 허무주의에 깊게 빠져 있었어요. 가족들이 너무 마음에 안 들었고, 되게 미웠어요. 제가 가장 이기적이고 모나고 진짜 막 싸가지 없을 때라, 그런 감정을 필터 없이 다 표현하면서 가족들에게 생채기만 냈어요. 가족들은 끊임없이 인내하고 견뎌줬고.

그러다 대학교 때 예수님을 만나면서 제가 정말 많이 변했어요. 극단적일 수도 있는데, 저는 예수님이 아니었으면 아마 일찍 죽었을 것 같아요. 항상 뭔가 화 나 있고 자기중심적이고 허무함이 컸는데, 인생의 가장 큰 전환점이 된 거죠.

그런데 제가 주변 사람들에겐 성숙한 그리스도인 척, 부드러운 척하지만, 진짜 모습이 다 드러나는 가정에선 본 모습 그대로 모든 화를 다풀고, 그렇게 많이 상처를 주고는 그냥 방치해 온 거예요.

가족과의 관계에 대한 회복이 임용 지역에 큰 영향을 주었네요.

뭔가 음, 빚을 갚아야 한다는 생각이 있었고. 또 하나는 '가족과 함께할 시간이 얼마 남지 않았구나.' 싶었어요.

주중에 거제도에서 되게 힘든 시간을 보내잖아요. 주말에 집에 가면 일단 쉬고 싶을 텐데, 가족들과의 시간 어때요?

사실 집에 가면 하는 일이라곤 누워있다가 스멀스멀 일어나서 말 걸고 카페 가자고 졸라보고. 같이 가주면 질문을 해요. 솔담톡(솔직담백 토크) 아시죠?

대학 가서 타인으로 살던 사람들의 삶에는 관심을 가지면서, 정작 가족들은 하나도 들여다보지 않았더라고요. 질문할 거리도 생각나지 않고, 궁금하지도 않고. 음, 가족들을 사랑하지만 인간적으로 좋아하진 않았거든요.

제가 대학생 때 나가 있는 동안 저도 변하고 부모님도 많이 변하셨더라고요. 요즘은 엄마랑 아빠랑 보내는 시간이 되게 좋아요. 의무감에 할 줄 알았는데 좋아요. 얘기도 재밌고.

안 하던 대화를 하려면 어색하고 막힐 수도 있을 텐데?

처음엔 제가 자꾸 질문을 하니까 "너 왜 이래?" 하더라구요. 진짜 감사했던 게, 거제에 온 후로 저희 가족들이 저를 많이 걱정해줬어요. 제

"

내가 여기서
맞장구를 치지 못하면
도태되는건가?

가 내려오는 길에 울었잖아요. 그게 불쌍해 보였나 봐요. 거의 1학기 내내 가족들이 순번을 정해 돌아가면서 저를 태우러 왔어요. 와, 이런 식으로 기회를 얻다니. 차 안에서는 다른 할 일이 없잖아요. 그 시간을 적극 활용하게 된 거예요.

가족들의 동정심도 한몫했네요.

그쵸. 엄청. 근데 집에 가면 엄마도 처음에는 반기시더니, 지금은 식충이라고 부를 때도 있어요. (웃음)

엄마가 식사에 마음을 많이 쓰시나 봐요?

엄마는 제가 먹는 것에 엄청 책임을 느끼세요. 제가 집에 오면 뭔가를 계속 해 먹이셔야 하는 거예요. 근데 '이번엔 또 뭘 해주지?' 거기에 스트레스를 느끼시는.

근데 제가 너덜너절해져서 집에 와선, 밥 먹고 자고 밥 먹고 자고 이러니까 저를 이제는 식충이라고. 약간 농담 반 진담반이셨던 거 같아요. 저는 엄마의 마음을 십분 이해합니다. 인정.

가족들도 경남으로 시험친 이유를 알아요?

알고 계세요. 부모님도 되게 의아해하셨어요. 왜냐면 대학생 때까진 부모님 전화도 잘 안 받았거든요. 이러이러한 일이 있었다, 그래서 경남으로 시험치려 한다고 말씀을 드렸더니 "웬일이야? 우리야 좋지만 뭐. 어디 한번 효도해봐라." 그러시더라고요.

부모님께서 엄청 기대하고 계시겠는데요?

사실 거제에 내려오면 가족들에게 어느 정도는 잘 할 수 있을 거라고 생각했거든요? 근데 제가 잘 못 해요. 부모님이 실망하시겠다 싶었는데 기대도 안 하셨더라고요. "그럴 줄 알았지 뭐. 자식이 뭐 얼마나 하겠냐." 그러시는 거예요. 그래서 거제로 돌아오는 길이 항상 부끄러워요. 오히려 저를 부모님이 챙겨주시면서 행복해하세요. "식충이~" 이러면서도 잘 먹는 모습을 부담스러울 정도로 쳐다보시면서.

학교를 옮길 생각도 해요?

거제도 안에선 1년 마다 옮길 수 있어요. 신청하면 될 수도 있고 안 될 수도 있지만, 웬만하면 이동이 잘 되는 것 같아요. 거제도 밖으로 옮기려면 한 3, 4년은 채워야 된대요.

저는 올해 거제 관내에서 이동하려고 기회를 노리고 있어요. 오늘 공문 안내 쪽지가 왔더라고요. 신청하실 분 공문 참고하라더라고요. 그래서 '내일 열어봐야지.' 하고 나왔어요.

**내가 '섬마을'
선생님이라니!**

경남 지역에는 계속 있을 생각이에요?

음, 그럴 생각으로 내려온 건 아니었거든요? 생각했을 때 '2년 정도는 가족이랑 보내도 되겠다.' 이거였어요. 그 뒤엔 막연하게 음, 결혼을 생각했어요. 결혼하기 전인 지금이 가정에 충실할 수 있는 유일한 시간? 결혼한 이후에는 새 가정을 돌보는 게 맞잖아요.

그러니까 그전까지만 진주에 있을 거라 생각하고 내려왔는데, 교무부장님이 한번 밥 사주시면서 경남 지역의 필요? 도전을 많이 주셨어요. 그때 이후로 처음 생각이 흔들렸어요. 원래 올해부터 임용 공부를 다시 해보려고 했거든요. 그런데 남게 될 수도 있겠다 싶어요. 모르겠습니다.

✎ 섬 학교 근무란

학교 이야기도 궁금해요. 지금 있는 학교는 분위기가 어때요?

어, 뭐라고 말해야 될까. 키워드가 몇 개 있어요, 소규모. 이렇게 말해도 되나? 비민주적. 이렇게 소개할 수 있을 것 같아요. 교사로서 근무지를 바라보는 관점으로 말씀드렸어요.

맡은 반과 업무는?

3학년을 맡고 있고 학년부장이에요. 학년별로 한 반씩 있거든요. 업무는 학생평가, 기초학력, 두드림, 도서관. 작은 학교라 업무가 많아요.

시골 학교에 대한 전형적인 이미지가 있잖아요. 공감이 가요?

음, 전형적인 이미지라면 적은 학생 수에 순수한 아이들, 자유롭고 자연 친화적인 학교. 이런 거겠죠? 반만 맞아요. 저희 학교가 시골에 있지만 도시에 사는 아이들이 일부러 오기도 하거든요. 학교특색활동으로 전교생이 4시까지 방과후를 해요. 방과후 수업도 영어랑 악기가 대부분이고. 텃밭 활동도 있어요. 교육관이 비슷하거나 맞벌이셔서 바쁜 가정에서 아이들을 멀리서도 보내세요. 도시사는 아이 반 시골사는 아이 반, 그래요.

동료 선생님들은 이 지역 분들이 많나요?

여기는 교원이 관리자 두 분을 포함해서 열 명. 거의 거제 사시는 분들이고, 두 분은 김해에서 오세요. 피치 못해 여기 오셔서, 항상 만나면 탈출 방법을 고민하세요. '이 방법 될까, 안될까.' 이렇게.

내가 '섬마을'
선생님이라니!

적응하느라 정신없을텐데, 선생님들과 이야기할 기회가 있어요?

회의는 정말 많이 하지만 사적인 대화, 수업활동에 대한 이야기를 나눌 기회는 거의 없어요. 소규모학교다보니 선생님들 각각 맡으신 업무량이 많은 편이거든요. 그리고 이 학교는 일단 승진을 생각하시는 분들이 오셔서, 다들 되게 바쁘세요. 여유 시간도 없고. 학교에서 종종걸음으로 다니시니까. 일단 저도 너무 바빠서 수업 끝나면 거의 교실에서 컴퓨터 두드리고 있어요.

학교에서 혼자인 것 같은 느낌을 많이 받아요. 동학년도 없다보니 선배교사의 이야기를 듣고 나누고 배우는게 제일 갈급한데 그럴 기회가 없어요. 그 부분이 가장 아쉬워요.

선생님들 사이에서 이해가 어려웠던 교직 문화가 있나요?

지역 분위기인지 아니면 학교만의 분위기인지는 잘 모르겠는데, 좋게 말하면 가족적이고 나쁘게 말하면 비민주적이에요. 부장님, 교감 교장선생님이 동학년 선생님 같은 분위기죠. 제가 차가 없으니까 퇴근할 때 다들 태워주시겠다고 하시고. 음식 생기면 꼭 보내주세요.

그런데 회의 때 관리자들에게 아부를 엄청 많이 해요. 유머인가 아니면 사회생활인가 모르겠는데, 교장 교감님이 무슨 말씀을 하시면 "아 역시~ 지혜로우세요. (웃음)!" 굽신굽신 이렇게. 관리자분들이 권위적이시진 않거든요? 근데도 어쨌든 교장선생님 말씀, 의견이 제일 중요하죠. 첨에는 약간 충격적이었어요. 내가 여기서 맞장구를 치지 못하면 도태되는건가? 눈치를 보죠.

그런 분위기라면 회의가 진짜 회의는 아니겠는데요?

웃긴 일이 있었어요. 학교에서 김장을 해요. 2학기 시작하면서 배추를 심거든요. 일이 많아서 엄청 힘든 업무인데, 담당 선생님이 이번에는 코로나19니까 김장을 안 할 수도 있겠다 싶으셨나봐요. 근데 관리자들께 그렇게 말할 수는 없고.

뒷 말을 만들어 놓는 거죠. 저한테 슬쩍 오셔서 "내가 '김장을' 이렇게 말할 테니까 선생님이 '갸우뚱'하면서 말을 보태줘." 저한테 작전 지시를 해주시더라고요. 어리둥절 했어요. 그런 분위기에요.

발령과 동시에 학년부장 역할도 하려면 정말 힘들겠어요.

여러 가지 업무 익히는데 스트레스를 제일 많이 받았죠. 당장 에듀파인이 뭔지도 모르는 상태에서 계획서를 내야 하니까. 제가 실수하면 연구부장님이 교감 선생님께 대신 고개를 숙이시니 너무 죄송하죠. 선생님들께서 저를 많이 용납해주셨어요. 그나마 다행인 게, 코로나19가 참 밉지만 그 덕에 개학이 엄청 연기 됐잖아요. 아니었으면 완전 말 그대로 엉망이었을 텐데 그래도 그사이에 업무를 약간 진행시켜 놨어요.

내가 '섬마을'
선생님이라니!

근데 학년부장 역할이 제일 문제인 것 같아요. 업무는 한 번 익혀 두면 크게 어렵지 않고, 계획서는 한번 세워놓으면 그거에 맞춰서 사업을 진행하면 되니까 수월한데, 학년 교육과정을 짜는 게 멘붕이에요. 저는 학년 교육과정에 대한 이해가 전혀 안 되어 있는 상태이니, 구색만 맞춰 넣기 급급하거든요. 학년 운영이 진짜 너무 엉망이죠. 그러니까 애들 한테 계속 죄책감이 들어요.

특히 어떤 부분에 죄책감이 느껴져요?

제가 애들을 중심으로 생각한다기보다, 선생님들 눈치를 더 보는 거요. 맘속으로 '애들은 어차피 어리니까.'하면서 은근히 무시하고 있었 더라고요. 성의 없이 가르치고. 처음엔 그런 걸 인식하지 못했는데, 깨닫고 나서 저도 깜짝 놀랐어요. '왜 이렇게 수업 준비보다 업무에 집중을 하지?' 생각했을 때, 선생님들한테 나쁜 평판을 받고 싶지 않아서 업무를 우선시했더라고요.

또 하나는, 애들의 학년 특성을 충분히 이해하지 못한 채 수업을 진행하는 것. 3학년은 엄청 에너지가 넘쳐요. 근데 저는 에너지가 많은 사람이 아니거든요. 가만히 있는 걸 좋아하고. 제가 잘 못 놀아줘요. 해주려고 해도, 잘 안되고.

지금은 어느 정도 적응했다고 생각해요?

일단 업무로 받던 스트레스는 어느 정도는 적응이 된 것 같아요. 올해 써야 하는 예산이 되게 많았어요. 근데 학생 수가 적다 보니까 어떻게 써야 할지 되게 골치였는데, 이제 예산을 거의 썼거든요. 업무에 대한 마음의 짐을 좀 덜었더니, 이제야 그동안 엉망으로 방치해 둔 교실에 눈을 돌릴 여유가 생겨요. 우리 반에 다문화 가정 아이들도 돌아보게 되고.

다문화 아이들이 얼마나 돼요?

열 세 명 중에 여섯 명. 어촌 마을이다 보니까 국제결혼을 많이 해요. 100% 어머니 쪽이 외국에서 오신 분들. 한 명 빼고 모두 베트남에서 오셨어요. 그래서 다문화 아이들이 많고. 이 아이들에게 제가 약간 편견을 가졌더라고요. 가정의 분위기가 좋지 않을 것이다. 한국말이 많이 서툴 것이다. 뭔가 결핍되어 있을 것이다. 다 그렇지는 않아요.

근데 음, 제가 생각했던 것처럼 결핍이 있는 아이들이 있어요. 가정에 남모를 사정이 있더라고요.

유난히 마음이 아프거나 관심이 가는 아이가 있을 것 같아요.

한 아이는 질문을 해도 대답을 잘 안하고, 거의 창 밖만 봐요. 삶이 궁금해서 이것저것 물어도 대답도 잘 안 해주고. 학교에 찾아오는 상담 선생님이 말씀하시기로는 아이 마음에 상처가 깊어서 스스로 고립시키는 상태라고 하시더라고요.

다른 친구는 겉으로 보기에는 엄청 어른스러워 보였는데, 친구들한테 전해 듣는 걸로는 학교를 마치면 완전 다르다고 하더라고요. 그런 결핍들이 좀 보이는 것 같아요.

그런 아이들에게는 어떻게 다가가요?

처음에는 불쌍해서 제 마음이 막 무너지는 거예요. 뭐라도 먹여야 될 것 같고. 잘 못 해주면 죄책감에 시달리고 그랬었는데, 이제는 조금 편안해졌어요. 누군가에게 소중한 인생을 내가 함부로 동정하거나 불쌍히 여기면 안되겠다. 단지 몇몇 사건만 보고 이 아이의 인생을 비관적으로 바라봤던게 오히려 미안해졌고. 상황 때문에 아이가 겪는 어려움이 있을지언정, 이 삶이 비극은 아니잖아요. 그렇게 생각하면서 조금 마음을 덜어놨어요. 지금은 내가 결핍을 채워주려고 하기보다는 소중한 것을 전해주어야겠다고 생각해요.

아이들은 우리 선생님이 수도권에서 왔다고 인식을 해요?

아이들은 제 삶에 큰 관심이 없어요. 제가 가끔 저에 대해서 설명하거든요? 그럼 그냥 "그렇구나" 해요. 다음에 물으면 모르고. (웃음) 제가 사투리에 완전 적응이 되었기 때문에 잘 못느끼는 것도 같아요.

거제로 발령 난
곽오지 선생님

'섬마을 선생님'이라는 타이틀에 대해 스스로는 어떻게 생각해요?

음, 일단 전혀 낭만적이지 않고요. (웃음) 제가 선택할 수 있었다면, 사실 안 왔을 거 같아요. 근데 필요가 있는 곳, 제가 왔어야 하는 곳이라고 생각해요. 외롭고 힘들지만 음, 제 자리에 있는 느낌이 들어요. 그치만 탈출을 항상 궁리하고 있습니다.

🎤 클로징

교사를 언제까지 할 생각이에요?

예비교사 때는 '교사는 내 평생 사명이야.' 이렇게 자신했던 것 같아요. 잘 해낼 수 있다고 생각했던 것 같은데. 지금은 음, 무겁다. 그리고 내가 참 사람이 덜 됐다. 생각했던 것보다 제가 교사를 할 자격이 없구나. 이런 걸 느껴요.

사실 관두고 싶은 순간이 종종 있었어요. 그만하고 싶다. 너무... 무섭다. 아이들이 무겁게 다가오는 거예요. 학부모님이랑 상담을 해보면, 얘가 집에서 얼마나 고귀한 존재인지 느껴요. 그런 한 세상이 저한테 오는데, 내가 여기에 서 있을 자격이 되나 계속 무서웠어요. 그래서 '그만

하고 싶다. 더 하면 안 될 것 같다.' 이렇게 생각했었는데, 그렇다고 그만 해야겠다는 확신이 서지는 않더라고요.

음, 글쎄요. 이걸 언제까지 할지 모르겠어요. 지금 제가 교사를 하는 이유라고 한다면, 제가 아는 의미있는 일 중에서 그나마 제가 할 수 있는 일이기 때문이에요. 그래서 이 일 말고도 다른 일의 가치를 더 선명하게 발견할 때 다른 걸 할 수도 있겠다 생각해요. 그게 꼭 교사는 아닐 수도 있겠다.

두 번째 학교에서는 어떤 모습으로 지내고 싶어요?

좀 큰 학교. (웃음) 동학년이 있었으면 좋겠어요. 도시는 아니지만 큰 학교인데 '행복 학교'인 곳이 있더라고요. 거기로 옮기고 싶어요.

아이들이랑 좀 더 성의있게 시간을 보내고, 조금 더 성장해있었으면 좋겠어요. 근데 어려운 것 같아요. 너무너무 서툴렀거든요, 올해. 저는 뭔가를 결정하고 책임지기보다는 항상 뒷자리에 있었어요. 그렇게 살아왔는데, 교실에서는 아이들이 자꾸 저한테 그런 역할을 기대해요. 좀 더 중심이 있는. 그런 모습이었으면 좋겠어요.

인터뷰4

취미 부자 윤선생의
'찐'바람은

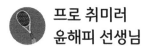

프로 취미러
윤해피 선생님

"

얘기하고 보니,
제가 취미 활동을
많이 하네요!

인터뷰어 _ 정휘범

윤해피 선생님의 삶이 고스란히 담긴 그의 집에서 나눈 이야기는 장소만큼이나 편안하고 솔직했다. 열린 방문 너머로 아내의 이야기를 듣고 있을 남편만큼 선생님의 에너지와 상처를 이해하기엔 3시간 30분의 인터뷰가 짧기만 했다. 취미 활동에 열정을 뿜뿜하는 그에게 어떤 바람이 숨어 고개 내밀 순간을 기다리고 있다는 걸 알았다. '참 교사'로 향하는 이 선생님의 길 위 선명한 걸음에서, 우리는 자신의 걸음과 겹쳐 보이는 어느 하나의 발자국을 찾을 수 있지 않을까.

윤해피 선생님의 집 거실

2020년 7월 25일 오후 6시

취미 부자 윤선생의
'찐'바람은

🎤 오프닝

여기 첫 학교에 언제 발령이 났어요?

2016년 4월 1일, 중간 발령이 났어요. 이제 4년 5개월 째예요. 햇수로 5년 차네요. 처음 발령받았을 때 교과 전담 맡고, 이어서 세 번의 담임, 그리고 올해 교과. 담임은 5학년 두 번, 2학년 한 번이었죠.

코로나19 때문에 여름방학이 훨씬 기다려졌을 텐데, 어떻게 지내고 있어요?

그냥 평안한 일상? 첫 일주일은 병원 다니고 친구들 만나고 운동하고 그랬어요. 다음엔 한 일주일 넘게 여행 갔다 왔어요. 부모님께 고양이 맡겨 두고 제주도도 갔다 오고, 가족 여행으로 남해도 다녀오고. 돌아와서는 부모님 댁에 있었어요. 엄마가 해 주는 밥 먹으면서 잠만 자다가 어제 집에 왔어요. 원래 계획은 오늘부터 온라인 수업 만드는 거였는데 내일부터 하기로. (웃음)

✎ 다양한 취미

주변에서 선생님처럼 에너지가 넘치는 사람은 처음이에요. 인스타그램을 보니 취미가 참 많아 보여요.

테니스를 오래 했죠. 부모님이 테니스를 치셔서, 어렸을 때 테니스가 되게 가까운 운동이었어요. 교대 4학년 때 휴학하고 제주대학교에 갔는데, 거기 테니스 동아리가 교환학생도 받아 주더라고요. 하루는 부원 둘이서 여자 기숙사에 포스터를 붙이려는데 남자라서 못 들어가길래, "내가 붙여 줄까?" 말을 붙였어요. 그거 붙여 주고 저도 같이 갔죠. 아는 사람이 없어서 심심한 차에 되게 재밌었어요. 거기 동아리 사람들이 다 테니스에 미쳐 있었어요. 다들 테니스장 한쪽에 있는 컨테이너에서 숙식하면서, 거기다 부르스타 놓고 비 오면 "파전해 먹자!" 이러고. 테니스를 거기에서 많이 배웠어요. 그때 거의 입문한 거예요. 그러고는 임고 준비하느라 못 치다가 발령받고서 다시 쳤어요. 중간에 발목 인대가 끊어져서 한 2년 쉬고 그다음 해부터 지금까지 치고 있죠.

테니스는 어떤 재미에요?

손맛이 있어요. 라켓에 공이 맞았을 때의 쾌감. 그리고 게임 할 때 내가 배운 것을 응용해서 점수를 땄을 때 쾌감이 엄청 좋고. 보통 한국에서는 복식을 많이 하거든요? 파트너와의 호흡 맞으면 되게 좋아요.

취미 부자 윤선생의
'찐'바람은

가족들이 모여서 복식 치면 재밌어요. 남편도 치고 동생도 치고, 부모님은 워낙에 오래전부터 치셨어요. 두 분이 같은 동호회에서 엄마는 총무 하시고, 아빠는 회장도 하셨죠. 놀러 가자고 해도 부모님은 "어딜 가, 테니스나 치자."라고 하세요.

동호회는 어떻게 알았어요?

활동하는 동호회가 여러 개예요. 하나는 부모님이 다니시는 모임인데, 거기는 엄마 아빠랑 같이 칠 때 가요. 다음엔 토요일 저녁에 하는 여자 복식. 인스타로 찾았어요. 지금 사는 곳은 칠 때가 별로 없어서 알아보다가 가까운 망원동에 있길래 한번 갔다가 가입했죠. 보통 여자 복식만 하는 데가 많이 없거든요. 그리고 인터넷에서 또 하나 더 찾아서 한 세 번 쳤더니 같이 하자고 했는데, 얼마 전 교통 사고가 난 데다가 장마도 길어져서 못 가고 있죠. 요 몇 주 못 쳤더니 몸이 근질거려요. 어서 치고 싶어요.

겨울에는 테니스 치기가 어려워서 아쉽겠어요.

지난겨울에 스노보드를 탔어요. 교사 스키 연수를 갔거든요. 재밌긴 했는데 한 십 년 만에 탔더니 자꾸 넘어져서 좀 아팠어요. 처음에 대학교 체육 수업 때 스키캠프 갔거든요? 그 뒤로 스키를 계속 탔었어요.

"

상반기에는 바디 프로필에만
정신을 집중했던 것 같아요.
올해 꼭 이뤄야 할
버킷리스트라고 생각했죠.

그래도 간지는 스노보드죠. 앞으로도 시즌마다 한 번씩은 타러 갈 것 같아요.

첨엔 스케이트보드도 탔어요. 크루저보드라고 조그만 보드를 한강 가면 공짜로 가르쳐주는 데가 있어요. 잠시 배우다가 크루저보드로는 기술을 못 한다고 해서, 스케이트보드를 샀어요. 경험이 있으니 탈 만하다 싶었는데, 생각보다 많이 넘어졌어요.

운동 신경이 엄청 좋네요! 평소에 하는 운동이 있어요?

결혼하고 살이 많이 쪘어요. 한번은 여행을 다녀왔는데, '대박, 이건 아니야!' 싶은 거예요. 그래서 집에서 운동을 시작했어요. 7개월 동안 한 7kg 뺐거든요? 그러다 보니 기력이 너무 달려서 근육을 키우고 싶은 거예요. 헬스를 다녀보자! 그동안 피트니스 센터를 제대로 다녀본 적이 별로 없어요. 그래서 PT를 받았는데 그 선생님이 엄청난 전문가였던 거예요. 지금도 보디빌딩 현역 선수예요. 20년 경력의 시 대표. 엄청 잘 가르쳐 주시고. (웃음) 옆에서 선생님이 가르쳐주면 재밌어요.

저는 헬스가 무슨 재미인지 모르겠어요. 그냥 힘쓰고 있는 거 아니에요?

헬스를 하면 인내심이 길러져요. '내 모든 힘든 상황이 다 지나갈 거야.' 알 수 없는 믿음이 생겨요. 끝이 있으니까. 그리고 성취감도 있어요. 처음에 5kg을 했다가, 10kg, 15kg으로 무게를 늘려가면 기분이 좋아요. 옆에 선생님께 배우면서 이런저런 얘기하는 것도 재밌구요.

하다 보니까 SNS에 운동하는 사람들이 바디 프로필을 그렇게 찍더라구요. 그래서 운동하는 김에 '나도 한번 해볼까? 살도 뺐으니까 이것도 할 수 있을 것 같은데?' 이렇게 3월부터 시작했죠. PT를 8개월, 식단 관리를 5개월. 나중에 들었는데, 동생이 "언니, 난 솔직히 언니가 못 할 줄 알았어." 이러는 거예요. 그리고 사람에게 체형 특징이 있잖아요. 저도 '내가 이게 될까?' 생각하긴 했죠. 그래도 일단 결심을 했고, 선생님이 옆에서 시키니까. 또 주변에 이미 말했는데 못한다고 하기도 싫고. 올해 상반기에는 거의 바디 프로필에만 정신을 집중했던 것 같아요. 내가 올해 꼭 이뤄야 할 버킷리스트라고 생각했죠.

8개월 동안 꾸준히 했다니, 지구력이 좋은데요?

국토대장정을 해 본 적이 있어요. 예전에 동아제약에서 했던 거 있잖아요. 대학교 3학년 때 신청해서 갔다 왔어요. 7월 1일부터 3주 일정으로 573.3km인가? 전남 고흥 나로호 발사장에서 출정식을 해서 평창에 올림픽 운동장에서 폐회식을 했어요. 비가 엄청 많이 오고 씻지도 못하고 진짜 힘들었는데, 그래도 재밌었죠. 그때 봤던 별이 아직도 생각나요. 걸을 때의 공기와 습도 이런 거. 생각해보니 되게 뭘 많이 했네요.

취미 부자 윤선생의
'찐'바람은

인스타그램 프로필 사진이 스쿠버 다이빙 하는 모습이던데, 어떻게 시작했어요?

친구랑 오키나와에 갔을 때 스노클링을 했거든요? 내가 물 위에서 헤엄치고 있는데, 사람들이 밑에서 다이빙 하고 있는 게 너무 예쁜 거예요! "아 부럽다. 나도 다이빙 해 보고 싶다." 그게 발령받은 해 여름이었어요. 꼭 다음에는 스쿠버 다이빙 자격증을 따야지! 생각하고는 다음 겨울에 세부에 가서 딴 거죠.

그러고선 다음 여름에 필리핀 보홀에 가서 하고, 지난 1월에 부모님하고 필리핀 세부 갔을 때 또 하고. 매년 한 거죠. 스쿠버 진짜 좋아해요. 자주 못 해서 아쉽죠. 비용도 많이 들고.

스쿠버의 매력은 뭐예요?

아무 말도 안 하고 아무 생각도 안 해도 되는 거. 그게 좋아요. 물 속에선 내 숨소리랑 물소리밖에 안 들려요. 물고기 보는 것도 좋지만, 고요함. 저는 말하는 걸 좋아해서 사람들이랑 같이 있을 때 말을 안 하면 어색하거든요? 그래서 일부러 화제를 꺼내서 얘길 하는데, 물속에서는 말을 안 하니까. 그냥 완벽하게 타인으로 있다가 오는 게 좋아요.

여행도 여기저기 많이 다녔네요?

발령받고선 진짜 매번 방학마다 갔어요. 오키나와, 하와이 신혼여행, 유럽, 세부, 보홀, 하와이 한 번 더 가고, 미국. 인도는 학생 때 봉사활동으로 갔어요. 이번엔 코로나 때문에 못 갔지만, 앞으로 더 다닐 거예요.

제주도는 진짜 자주 가요. 수학여행 땐 패키지로 다녀와서, 제주도 여행을 가야 하나 싶었는데. 막상 다시 가서 올레길도 걸어보고 바닷가도 가보고, 좋은 곳을 많이 가 보니까 제주도에 대한 이미지가 완전 달라진 거예요. '와, 여기 살고 싶다.' 이렇게 된 거죠. 1년 합치면 서 너 번 정도는 가는 것 같아요. 올해는 지금 8월인데 벌써 4번. 요즘에는 당일로 많이 가요. 갈 때마다 한 코스씩 올레길 완주해요. 올해 목표가 올레길 트레킹이에요. 예전엔 관광지 위주로 다녔다면, 지금은 올레꾼이죠. 제주도는 카페 같은 곳도 좋지만, 그렇게 올레를 걷거나 오름을 갈 때 진짜 매력을 느껴요.

활동적인 취미가 성향에 맞나봐요.

또 뭐 했지? 수영도 학교 수영장에서 1년 정도 했었어요. 대학 다닐 때 핸드볼도 한 학기 정도 했었구요. 대회도 한 번 나갔어요. 꼴찌였지만. (웃음) 자전거도 조금 탔고. 꾸준히 한 건 아니고 그냥 한 번씩. 얘기하고 보니까 뭘 많이 하네요.

취미 부자 윤선생의
'찐'바람은

정적인 활동엔 관심 가는 게 있어요?

저는 정적인 취미가 거의 없어요. "나 아이유 될 거야"라면서 기타를 작년에 배웠다가 영... 바느질, 뜨개질 이런 건 절대 못 하고. 그림에 관심은 있는데, 끈덕지게 안 해서 잘 몰라요. 아이패드로 그림 그리는 '프로크리에이트' 앱도 지르기만 하고 잘 안 해요. 정적인 건 첼로 정도?

첼로라니, 의외의 취미인데요?

그래도 저 음악과랍니다. 엄마가 예전에 피아노 선생님이셨어요. 피아노 다음에 바이올린을 했는데 영 안 맞더라구요. 그래서 초등학교 때 플룻으로 바꿔서 6년 정도 쭉 했어요, 중학교 때는 플룻으로 학교 오케스트라를 했어요. 그런데 웬일인지 플룻을 하면서 중2 때 첼로 레슨을 같이 받았어요. 현악기에 대한 미련이 좀 남았었나 봐요. 기관지가 약해서 숨이 많이 어려워 가지고 플룻을 관둔 것도 있구요. 고등학교 때는 첼로로 오케스트라를 들어간 거예요. 연말에 음악회도 하고. 대학교 때도 음악과 지원해서 오케스트라하고.

무대에서의 그 전율? 그걸 버릴 수가 없더라고요. 오래 했기 때문에 지금 관두면 너무 아깝기도 하고. 또 대학생 때도 레슨 엄청 받았어요. 지금은 교회에서 연주해요. 성가대에 실내악이 따로 있어요. 처음에 엄마가 첼로를 가르쳤을 때 제가 교회에서 봉사하기를 원해서 가르치셨거든요. 결국 잘 됐죠. 교회에서 하고 있으니까.

하고 있는 취미 외에도 해보고 싶은 게 있어요?

최근에는 서핑을 해보고 싶어요. 그리고 장비 없이 그냥 맨몸으로 하는 프리 다이빙도 해보고 싶고. 클라이밍도 해보고 싶어요. 그리고 골프. 몇 년 안에 할 거 같긴 한데 지금은 테니스가 우선이긴 해요.

이건 좀 정리해야겠다 싶은 취미도 있어요?

요즘 일본어 공부를 하고 있거든요? 오늘 10시에 선생님이 오시는데, 하나도 안 해놨어요. 고문이에요, 고문. 어려워요. 일 년 넘게 했거든요? 근데도 아직이에요.

✎ 취미에 대한 성향

취미가 다양하니 돈도 많이 쓰게 되지 않아요?

어느 정도 쓰죠. 테니스는 주 2회 레슨에 13만 원 정도. 동호회 갈 땐 회비가 좀 있고. 아, 헬스 할 때 돈 많이 들었다. PT 받느라 한 400만 원? 스쿠버 다이빙도 많이 들어요. 일단 여행을 가야 하니까. 둘이 같이 가면 3~400 정도 쓰는 듯. 스노보드나 스키는 장비를 사진 않고, 가

66

또 다른 삶?
취미가 생기고
내 삶과 교사의 삶이
분리가 잘 돼요.

서 빌리는 거죠. 첼로는 별로 돈이 안 들어요. 쓸 때는 줄 바꿀 때. 4개 다 바꾸면 30만 원씩 들어요. 진짜 오랜만에 연주할 때는 점검받느라 한 번에 90만 원씩 들죠. 생각보다 많이 쓰지 않는 것 같아요. 많이 쓰는 건가? (웃음)

취미에도 트렌드가 있잖아요. 트렌드를 신경 써요?

네, 좀 민감해요. '요즘엔 이런 거 많이 한다더라.'는 걸 잘 알고 있는 거 같아요. 요즘 클래스101 많이 하잖아요. 거기 디지털 드로잉에 관심이 있죠. 바디 프로필도 요즘 핫한 거고. 그렇다고 무작정 남들이 하는 것보다는, '내가 아는 누군가가 한번 해봤다더라.' 그러면 관심이 가요. 그러면 진짜 해봐요.

'아 이건 내 스타일이구나, 이건 아니구나.'가 분명해요?

그런 것 같아요. 저번에 폴댄스 일일체험을 갔어요. 엄청 어렵거나 그러진 않았는데, 딱 끌리지는... 반대로 뭔가를 해봤을 때 어려워도 '아 해보고 싶다.' 이런 게 있어요.

예전엔 뭘 좋아하는지 몰랐어요. 그래서 대학 4학년 때 휴학을 하고 상담을 받았는데, 목표가 내가 좋아하는 게 뭔지 찾는 거였어요. 그때 상담 선생님이랑 얘기하면서 알았죠. 내가 활동적인 거, 사람들 만나는 거 좋아하는구나. 그때부터 자전거도 타고 스케이트보드도 타고, 걷는 것도 해봤어요.

이렇게 에너지 가득한 사람은 어릴 적 어떻게 지냈는지 궁금해요.

어릴 적에 시골에서 자랐거든요? 여동생이랑 수숫대 꺾어다가 활 쏘고, 나무에 고양이랑 같이 올라가고, 롤러 블레이드 타면서. 학교에 애들이 적어서 축구도 남녀 섞어서 했어요. 그러면서 스스로 발견한 거예요. 부모님은 저희가 운동 신경이 없을 줄 알고 악기만 시키셨거든요.

고등학교 때 체육 시간에 자유 시간을 주면, 운동 잘하는 친구랑 같이 농구를 했어요. 그러다가 선생님이랑 1:6으로 아이스크림 내기도 하고. 취미까지는 아니었지만, 활동적인걸 좋아는 했던 거 같아요.

✎ 취미와 교직의 연결점

교사에게 취미란 어떤 의미일까요?

또 다른 삶? 예전에는 교사로서의 삶이 퇴근 이후에도 계속됐었어요. 집에 오면 그 스위치가 OFF가 돼야 되는데, 그게 잘 안되니 같이 사는 사람들도 힘들고. 그 선을 못 그으면 퇴근하고 나서도 쉬어지지 않더라고요. 엄청 스트레스예요. 그것 때문에 고민을 많이 했는데, 취미가 생기고 내 삶과 교사로서의 삶이 분리가 더 잘돼요. 그래서 또 다른 삶

"

진짜 너무 많이 힘들었고
죽고 싶었기 때문에...
그때로 절대 돌아가고 싶지
않아요.

인 것 같아요. 테니스를 치거나 무거운 바벨을 들고 힘쓰다 보면, 아무런 생각이 안 나요. 정신 건강에 도움이 돼요.

취미활동이 교사의 삶과 연결이 된다고 느껴요?

마음의 여유가 생긴다 해야 하나? '지금 짜증 나지만 끝나고 테니스치러 갈 거야.' 퇴근 후에 재밌는 게 기다리고 있으니까요.

그리고 학교에서 뭔가 일이 생겨도 감내 할 수 있어요. 특히 헬스를 하면서 많이 느낀 건데, 인내심을 많이 길렀다고 했잖아요. 고통을 참아내는 그런 거. 그래서 스트레스에 풀 게이지의 정도가 좀 더 높아진다는 거?

일하는 에너지와 취미에 드는 에너지가 충돌할 때가 있어요?

응, 있죠 있죠. 아무래도 밤새 테니스 치면 다음 날 '으~ 힘들어.' 그리고 가끔 주말에 엄청 많이 칠 때. 다리가 너무 아파요.

그런 갈림길에 서면 어떤 기준으로 에너지를 써요?

저는 웬만하면 테니스를 치고 싶은데 남편이 말려요. 제가 하나에 꽂히면 끝없이 하려고 할 때가 있어서, 옆에서 많이 브레이크를 걸어주죠.

프로 취미러
윤해피 선생님

지난달인가? 일요일 밤 8시부터 테니스 대회가 있었어요. 그때 시작하면 언제 끝날지 몰라요. 가고 싶은데 다음 날 출근해야 되고, 장소도 송파구였어요. 은평구에서 되게 멀잖아요. 진짜 가고 싶었거든요? 근데 남편이 옆에서 "아니, 이건 안될 것 같아." 그래서 결국 안 갔어요. 학교 일에 지장이 갈 정도로는 안 하려고 하죠, 저도. 자중하죠.

아이들을 가르치는데도 영향이 있어요?

취미가 운동이다 보니까 체력이 많이 길러져서 온라인 수업을 만든다든지 할 때 조금 덜 지치겠죠. 그래서 아이들을 참아주는 마음이 넓어질 것도 같고.

그리고 테니스 같은 건 좀 더 전문성이 생기면 테니스부가 있는 학교로 가서 뭔가 할 수 있지 않을까요? 그리고 운동을 하니까 체육 시간에 좀 더 재밌는 거 할 수 있지 않을까. 다른 수업 시간에 뭔가를 설명할 때 테니스를 예화로 들 수도 있고. 아직 잘 모르겠어요, 이거는.

취미 부자 윤선생의
'찐'바람은

✎ 취미에 관심을 쏟은 계기

교사가 되고 나서 취미에 쏟는 에너지가 달라졌어요?

교사가 되기 전과 후로 나누기보다는, 어떤 계기로 힘들었다가 그걸 극복하고서 난 다음으로 나뉘는 것 같아요. 그전에는 취미에 거의 에너지를 못 썼죠. 학교에 적응하고 애들하고의 생활에 올인. 그러다가 도저히 안 되겠다 싶어서 테니스를 배우기 시작했고, 그때부터 취미에 많이 몰두를 하려고 했죠. 작년에도 올해도 취미에 많이 의지를 했어요.

두 기간을 나누는 계기가 뭐예요?

첫 담임 때 맨날 밤새도록 게임하던 아이가 있었어요. 학교 오면 졸려서 집중 못 하고 눈이 흐리멍덩한. 친구들한테 게임 초대 카톡을 엄청 보내고, 애들이 발표할 때 자꾸 딴지를 걸어서 친구들이 다들 힘들어했어요. 힘든 가정환경이라 제가 걔한테 신경을 많이 썼어요. 친해지려고 말도 자주 걸고, 그림 그리는 거 좋아해서 그림도 보여달라고 하고. 이렇게 저렇게 노력은 했었는데, 그런 애를 어떻게 다뤄야 될지 잘 몰랐고 마냥 어려웠던 것 같아요.

6월 초 어느 날에 아이들한테 "가방 문 안 닫으면 선생님이 거기에 발 넣을 거야."라고 말한 적이 있어요. 걔가 안 닫고 있었어요. "이거

닫아야지. 선생님이 한 바퀴 돌아올 때까지 안 닫으면 발 넣을 거야." 그러고 갔는데도 안 닫는 거예요. "너 진짜 발 넣는다?" 근데도 계속 안 닫는 거예요. 그래서 가방에 발을 넣는 시늉을 했는데, 얘가 저를 때린 거예요. 옆구리를 주먹으로 퍽퍽. 애들 다 있는데. 충격... "너 지금 뭐 하는 거야!?" 교실 분위기는 정적. 나중에 알고 보니 가방에 닌텐도가 들어 있었던 거예요. 그래서 내가 발을 넣으면 망가진다는 생각에 순간적으로 저를 때렸던 거죠.

이후에 학년부장님이 교감선생님한테, 교감선생님은 교장선생님한테 보고를 하셨어요. 아이 엄마한테는 선생님을 폭행했다고 바로 연락이 갔죠. 저는 다음날 병가를 썼어요. 학교는 교권보호위원회를 열었고요. 병가를 더 써야 하나 싶었는데, 다른 애들이 너무 눈에 밟혀서 월요일에 출근을 했어요.

결국 그 아이는 전학을 갔어요. 전학을 가고 나니 뭔가 마음이... 휑한 느낌이라고 해야 되나? 내 마음이 해결 안 됐는데... 일은 그냥 그렇게 되어버리고 걔는 없어졌잖아요. 아쉬웠던 건 제가 회복할 수 있는 시간이 없었다는 거? 이후로 진짜 엄청... 울었어요. 제가 맨날 죽고 싶다고 해서 남편도 많이 울었어요. 아직도 그 일로 눈물이 날 정도로... 사실 이게 해결이 안 돼서 최근까지 상담을 받고 있어요.

지금 취미 활동에 많은 에너지를 쏟는 게, 그때의 경험에 영향을 받았어요?

그렇죠. 사실 테니스 배우기 전까지 한 일 년 더 되는 시간 동안엔 진짜 아무것도 안 했어요. 집에 가면 밥도 안 먹고 누워서 울기만 했어요. 주말에도 마찬가지고. 그래서 남편도 부모님도 다 힘들었어요. 그때 당시에는 진짜 너무 많이 힘들었고 너무 죽고 싶었기 때문에... 그때로 절대 돌아가고 싶지 않아요.

그래서 내가 뭘 좋아하고 싫어하는지, 뭘 하고 싶은지 많이 집중을 하게 된 거 같아요. '내가 좋아하는 거만 해볼 거야.' 그래서 대학원을 그만두고 여행 다니고 고양이도 키웠어요. 테니스를 다시 배우게 된 것도 부모님이 "너 너무 힘들어하니까 테니스라도 배워봐."라시며 일 년 동안 레슨비를 지원해 주셨어요. 여행도 그 상처를 치유하기 위한 방법이었고. 상담도 받고 운동하고 좋아하는 것들로 삶을 채우면서 많이 좋아졌어요. 어떻게 하면은 더 좋아질까. 어떻게 하면 내 마음이 좋아질까 찾았죠.

최근에 교통사고가 났잖아요. 그때 죽음의 공포가 딱 왔었어요. 덤프트럭이 차 뒤를 박을 때, 순간적으로 '아 진짜 죽기 싫다.' 이런 생각이 드는 거예요. '아, 내가 삶에 대한 욕구가 생겼구나!' 그래서 감사했어요. 살고 싶다. 살아서 해야 될 것도 되게 많은데 이대로 죽을 수는 없다.

심리적으로 커다란 걸림돌이 될 것 같아요.

교직을 시작하면서 제가 이 아이들을 조금이라도 변화시켜서 얘네가 또 다른 사람을 변화시키고, 그렇게 세상이 더 나은 곳이 됐으면 좋겠다는 생각을 했어요. 열정 있게 가르치고, '나 참 교사 될 거야!' 생각했어요. 저녁 8시까지 야근하면서 수업 준비하고 가르쳤죠. 제 마음도 아이들이 너무나 소중하고 얘네를 위해서 모든 걸 다 할 수 있을 것 같았고요. 내 시간과 마음을 잴 것 없이 다 들여서 가르쳤던 것 같아요. 그 경험을 하기 전까지는.

그 일을 겪고 나니까 회의감이 들고.. 완전 꺾이는 느낌이었죠. 이제는 온갖 시간과 열정을 다 바쳐서 할 수는 없을 것 같아요. 그 경험이 있었기 때문에.

아이들을 대하는 마음에 충격이 컸을 듯해요.

이제 사실 애들에게 기대를 많이 안 해요. 정을 많이 안 준다고 해야 할까? 사랑은 고양이한테 주고 사람은 싫어해요. (웃음) 트라우마라고 해야 하나? 심적으로 사람에 대한 불신? '내가 이만큼 얘한테 신경을 썼는데... 오히려 나한테 상처를 줬어.' 이런 경험이 저를 주저하게 할 때가 있어요.

그렇다고 애들이 안 예쁘거나 밉지는 않아요. 다만, 일 년 동안 내가 책임질 애들이니까 다정하게 하고 신경 써 줄 뿐이죠. 감정적으로 엄

취미 부자 윤선생의
'찐'바람은

"

수업의 고유성.
그걸 가져 보고 싶어요.

청 아끼고 사랑하고, 애들이 너무 예뻐서 '우리 반 애들 진짜 최고야.' 이렇게 자랑하기까지는 안 되요. 그렇게 해야 될 필요성도 잘 모르겠고.

슬픈 일이죠. 예전에는 아이들의 기억에 남는 선생님이 되고 싶었다면, 지금은 잊혀지고 싶어요. 얼굴도 이름도 잊혀지고 그냥 내 인생에서 만났던 평범한 선생님 중 하나. '나쁜 선생님은 아녔던 것 같아.' 이 정도? 기억되는 게 무서워요.

무의식적으로 교직과 자신 사이에 거리를 두려고 하나 봐요.

과거의 그 경험이 너무 커서... 이젠 오히려 저를 많이 보호하고 싶어졌어요. 상처받을 만한 거, 내가 안전하지 않은 걸 안 하게 되더라구요. 그걸 극복하기가 힘들어요. '나를 보호하기 위해서 이건 좀 힘들어. 이건 안 해야겠어.' 이런 거죠. 그냥 직업으로서의 교사, 그 정도? 이런 입장이 나를 보호할 수 있겠다 생각하게 됐어요. 그게 저의 전문성을 기르는 데 방해가 되는 것 같아요.

만약에 제가 전문성을 기르고 참 교사가 되고 싶다는 마음을 다시 갖게 된다 하더라도, 초임 때와는 다를 것 같아요. 그때는 정말 아이들을 너무 사랑하고 내가 교사인 게 너무 자랑스럽고, 내 삶이 교직이자 교직이 내 삶이었다면, 이제는 그렇게 되기가... 될 수 있을까요? 안될 것 같아요. 네, 그건 아닐 것 같아요. 이런 마음이다 보니 그때의 경험이 전문성을 기르는 데 심리적으로 걸림돌이 돼요.

*쫑알이_ 생활기록부 중 학생에 대하여 문장 형태로 길게 입력하는 항목. 쫑알쫑알 자세하고 길게 써야한다는 의미의 은어
*행발_ 생활기록부 중 '행동발달 및 종합의견'의 줄임말

✎ 자신의 전문성

자신의 전문성에 대해서 스스로 어떻게 생각해요?

교사는 수업을 하는 사람인데, 저의 수업 전문성이 그렇게 높진 않은 것 같아요. 제가 생각하기에 전문성 있는 교사란 교육 과정을 연구하면서 위계나 연계를 잘 알아서 재조합할 수 있고, 그걸로 활동들을 알맞게 꾸릴 수 있는 사람인데, 저는 사실 그 정도는 아닌 거 같거든요. 그냥 그 수업 하나에 맞는 내용을 찾아서 활용할 수는 있는데, 전체를 보는 건... 그러니까 숲을 보고서 나무를 하나씩 심는 건 어려워요. 그런 기준에서는 전문성이 높지 않다 싶어요.

생활지도 전문성은요?

가끔 분명 쟤네 둘 사이에 무슨 일이 있는데 싶을 때가 있어요. 그걸 해결해야 되는데 완벽하게 해결을 못 하는 거예요. 해결하려고 엄청 노력했었죠. 근데 잘 안 됐어요. 아이들이랑 관계는 괜찮은 거 같거든요, 제가 느끼기엔? 근데 애들끼리 갈등이 있거나 감정의 골이 깊어질 때 미리 그 '김매는 작업'을 어떻게 하는지 잘 몰라요.

애가 친구를 너무 싫어하면 "야, 너네 둘이 싫으면 놀지 마 그냥. 싫으면 안 놀면 되잖아. 왜 자꾸 놀면서 싸워." 그래요. 억지로 사이좋게 하기도 싫고, 그냥 "싫어할 수 있어. 싫어하는 감정은 틀린 건 아니야. 그런데 싫어해도 교실에서 어쩔 수 없이 같이 지내야 되는 친구를 맨날 건드리고 그러면 얼마나 스트레스겠니?" 이런 식으로. 어린 2학년한테도 그런 식으로 했어요. 잘 하는 건지는 모르겠어요. 잘 안 먹혀요. (웃음)

생활지도에 힘들 때가 많았겠어요.

생활지도가 제일 힘들어요. 갈등을 해결해주고 적절한 어드바이스를 주는게. 그냥 저는 개인적으로 '사이 안 좋으면 안 놀면 되잖아.' 생각하거든요. 정떨어지면 그냥 안 봐요. 최근에 깨달은 건데, 저는 정말 남한테 관심이 별로 없어요. 그냥 저한테 관심이 있어요. (웃음)

전문성의 영역일지는 몰라도, 업무 면에서는 어때요?

업무할 때가 차라리 편해요. 정말 공무원이 체질? (웃음). 작년까지는 학교신문 담당이었는데 스스로가 이 일의 의미를 잘 못 찾았어요. '교사가 이걸 왜 해야 돼?' 하는. 올해부터 업무가 바꼈거든요? 올해 업무는 예술강사 담당, 합창부 동아리 담당이에요. 학년에 예술강사 배정해주고 강사랑 통화하고 기안도 하고 계약도 하는 일이에요. 해보니 저는 페이퍼워크가 괜찮은 것 같아요. 진로를 행정으로 바꿔야 되나?

다른 사람들은 자신의 전문성을 어떻게 생각하는 거 같아요?

어떻게 생각하는지 잘 모르겠어요. 수업도 생활지도도 말씀을 안 하시니. 복도 지나가면서 보실 때 '왜 저렇게 하나.' 생각하시겠지만, 얘기를 안 하시니까... 잘 모르겠어요. 수업이나 생활지도의 전문성에 대해서 이렇다 할 피드백을 해주시는 분도 없고. 촌철살인으로 말씀하시는 분도 없고.

그리고 막상 얘기하면 기분도 안 좋아. (웃음) 사실 그걸 내가 받아들일 준비도 안 되어 있어요. 학급경영같은걸 물어보면 "아, 이건 좀 아니다." 하실 때가 있는데, 별로 기분은 안 좋죠. 수업 협의회 때 보면, 제 수업을 어떻게 준비했는지 전혀 모르면서 "지도안만 보면 수업에 대해서 다 알아야 돼." 그렇게 얘기하잖아요. 나름 의도를 가지고 준비했는데 "야 너는 이건 왜 이렇게 했어. 이게 아니지." 이렇게 말하면... 맞는 말일수도 있는데 딱히 받아들이긴 어렵지 않을까요?

어떤 때 교사로서 전문성에 대한 부족함을 느껴요?

저는 평가, 쫑알이*, 행발* 기록이 너무 어려워요. 아이들 관찰 자체는 할 수 있어요. 근데 그걸 교육적인 표현으로 만드는 게 너무 어려워요. 그리고 내가 관찰한 단면만 가지고 생활기록부에 써도 괜찮은 걸까? 내가 모르는 면이 있을 수 있으니까. 스물네 명이 있으면 한 애를 완전히 관찰하기 어렵잖아요. 거기다 여러 명을 학기 말에 한꺼번에 기록을

"

다른 교사의 수업을
진짜 많이 못 봐요.
일 년에 한두 번?

하려니까 너무 힘들고 뭘 써야 될지 모르겠어요. 특히 조용한 여자아이나 그냥저냥 잘 지내는 무난한 아이. 막연하죠.

제가 학생 때 되게 그거에 신경 많이 썼거든요. 그래서 그게 얼마나 학생이나 부모한테 의미가 있는지 알기 때문에 더 그런 거예요. 최대한 좋게 써 주고 싶긴 한데, '아 이렇게까지 써줘야 되나.' 싶기도 하고. 그러니 7월, 12월 되면 스트레스 많이 받아요. 학기 중에 누가기록을 하는 편인데도 막막해요.

좋은 교사로 성장하고 있다는 생각이 드나요?

성장을 조금씩 하고 있겠죠? 전에는 수업할 때 성취기준이나 단원목표 이런 것들을 잘 들여다보지 않았어요. 내일 할 수업에 대해서만 관심을 갖고 어떤 활동을 할지에 급급했는데, 지금은 전체를 한번 보고서 어떤 단원부터 할지, 재구성을 어떻게 하면 좋을지 생각해봐요.

내 수업에 어떤 고유성을 가지고 싶어요. 저는 인스타그램이나 책도 많이 찾아보고 아이스크림에 있는 샘튜브, 샘블로그 이런 것도 많이 찾거든요? 근데 다른 분이 만들어 놓은 자료는 사용할 수 있어도, 그분의 의도? 이건 내 것이 아니잖아요. 다른 교사가 실제로 했던 걸 직접 해 보기도 하면서, 이제는 '내가 재구성을 해보고 싶다. 나도 그런 콘텐츠를 만들어 보고 싶다.'는 마음이 들기까지 성장한 것 같아요. 수업의 고유성. 그걸 가져보고 싶다는 생각이 들어요.

프로 취미러
윤해피 선생님

✎ 전문성 성장에 대한 경험

발령 이후에 자신의 수업 고유성에 에너지를 많이 쏟고 있어요?

교사로 에너지를 쏟는 점은 업무와 수업, 두 가지인 것 같아요. 일단 업무는 제가 맡은 걸 빵구 내면 티가 많이 나잖아요. 그래서 업무에 신경을 제일 많이 쓰게 돼요. 이 학교에 와서 업무 방법 같은 건 배웠어요. 조퇴를 언제 하면 자연스러운지, 41조 연수를 어떻게 써야 하는지 이런 거 배우고, 조퇴 사유 쓰는 법, 담당자들한테 학교 행사 사진 잘 받는 법 이런 거. (웃음)

그치만 수학 수업을 어떻게 구상하고 교육과정 재구성은 어떻게 하는지, 그런 것들은 많이 배우지 못했던 거 같아요. 수업은 사실 뭐 신경 안 써도 아무도 모를 수 있지만, 애들도 알잖아요. 준비가 됐고 안됐고를. 수업 준비를 못 했을 때 애들의 반응이 있어요. 약간 '응?' 하는 그런 거? 그 반응이 너무 싫어서 저는 수업에 신경을 쓰는 것 같아요.

수업 준비에 시간을 충분히 내게 되나요?

저에겐 수업이 아이들에게 내가 인정받을 수 있는 수단? 수업에 어느 정도 준비가 안 되어 있으면 임기응변을 잘 못해요. 준비가 꼭 필요해요. 그리고 내가 이만큼 준비했을 때 어느 정도의 아웃풋이 나오면, 내가 인정받는 느낌이 들어요. 저는 인정 욕구가 되게 크거든요.

수업에서 아이들에게 인정의 욕구가 좀 채워지는 거 같아요?

어떤 수업은 되고 어떤 수업은 또 아닌 것 같기도 하고 그렇죠. 저는 엄청 창의적인 수업은 잘 못 하겠어요. 그것보단 조금이라도 배워가고 작은 거라도 깨달을 수 있는 수업을 하고 싶거든요? 그러면 애들도 재미있다고 하고. 그래도 항상 저는 부족하다 싶어요. 똑같이 교사인 동생이랑 학교 이야기를 하다 보면 그런 점이 비교가 되기도 해요.

동생의 교직 생활은 어때요?

저랑 같은 해에 경기도에 발령받은 제 동생은 IT 교육 관련 혁신 클러스터 중에서 중요한 역할을 하는 학교에 있어요. 시범 학교라서 장학사님들이 오시는 공개 수업을 많이 하는데, 동생이 대표로 수업을 자주 해요. 그때 그 수업을 혼자 준비하는 게 아니라, 다른 선생님들이 다같이 지도안 수정해요. 스마트 교실을 어떻게 쓸지 같이 해보는 거예요.

그런데 생각해보니 저는 임상 장학 첫해에 거의 저 혼자 준비했고, 두 번째도 두 분에게 조언을 얻긴 했는데 형식적인 멘토링이었어요. 그리고 세 번째 마지막 임상 때, 내가 짜 온 걸 보고서 교감선생님, 연구부장님이 "이건 좀 그렇지 않나? 바꿔야 되지 않나?" 숙제 검사받는 식으로. 그러니 더 막막한 거예요. 그런데 동생네 학교는 사전 협의회를 하더라도 한 번에 끝나는 게 아니라 계속 계속 보완하고 수정한대요. 그래서 별로 부담이 안 된대요. 어차피 나만의 수업이 아니라 모든 선생님들 노하우가 다 들어가는 거니까. 동생이랑 많이 비교가 됐죠. 동생은 이제 수업에 대해서 두려움이 없대요.

그리고 경기도는 겨울방학없이 1월 달에 학년 말 방학을 많이 하잖아요. 그때 선생님들이 2월에 학교 나와서 교육과정 짜고 학년끼리 재구성하고 이런대요. 어떻게 보면 쉬는 날이 줄어드니까 안 좋을 수 있어. 근데 직업인으로서 "그 정도는 해야 되지 않나?" 싶어요. 교육과정은 물론 학기 중에 만들어 가는 건 맞지만, 3월 지나서 만드는 게 맞는 건가? 그리고 작년 담당자가 만들어서 넘기는 게 맞는 건가? 도대체 어떻게 된 거지? 동생 학교의 그런 부분이 부러울 때가 있죠.

동생의 학교생활을 보면서 어떤 감정이 들어요?

저는 배우지 않고선 스스로는 하지 못한다는 최대의 단점이 있어요. 지금은 원래 교육과정 자체를 따라가기도 쉽지 않은 상황이라, 누군가 좀 이끌어 줬으면 할 마음이 있는데, 그런 학교가 아니라서 아쉽죠. 아무래도.

그런 환경에 나도 있었으면 싫든 좋든 자연스럽게 그렇게 됐을 텐데. 한번은 다른 선생님한테 "이거 어떻게 하는 거예요?" 물어봤는데, "그냥 적당히 해~"라고 대답을 하시더라구요. 그런 게 참 답답하죠. 에휴.

취미 부자 윤선생의
'찐'바람은

"

직업인으로서의 나와
그냥 나. 둘 사이에서의 고민,
안 하세요?

교사들은 1년에 60시간씩 연수를 꼬박꼬박 듣잖아요. 전문성을 기르는데 연수는 도움이 돼요?

저는 연수를 많이 들었었는데, 사실 연수가 그렇게 엄청나게 도움 되진 않더라고요. '이렇게 해봐야겠다.' 싶긴 한데, 그때뿐인 것 같아요.

일단 의무로 들어야 될게 많잖아요. 안전, 다문화, 양성평등 같은 거. 솔직히 우리 교사들만 아는 사실. 온라인 연수는 클릭만 하면서 넘긴 다는 거. (웃음) 저는 서울시교육청연수원을 싫어한답니다. 클릭해도 바로 안 넘어가서. (웃음) 평가 볼 때도 PDF 다운 받아서... 솔직히 온라인 연수는 별로 도움 안 되고. 오프라인 연수는 그래도 도움이 좀 돼요. 전에 리코더 30시간짜리 집합 연수를 들었거든요. 그건 도움이 됐어요.

다른 교사들의 수업이나 생활지도 하는 걸 볼 기회가 있어요?

음, 몰래 슬쩍 보죠. 어떻게 하는지 들어보자. (웃음) 그리고 생활 지도는 아무래도 많이 볼 수 있는 게, 복도 지나다니면서 볼 수 있으니 까. 수업 같은 경우는 진짜 많이 못 봐요. 일년에 한 두 번? 공개수업 때 보고 임상 장학, 동료 장학. 그때 좀 많이 보고 싶은데...

수업에 오래 들어가 있는 편이에요?

저는 오래 있고 싶은데 빨리 나가요. 괜히 불편해 하시는 거 같아 서 조금 보다가 말죠. 더 보고 싶은데. 더 보고 싶어요, 진짜. 작년에 동료

장학 수업은 오래 봤던 것 같아요. 전문가 학습 모형으로 하던 수업. 그 때 좋았어요.

대학원을 휴학한 것도 전문성에 대한 고민인가요?

좀 더 음악을 잘 가르치고 싶었고 음악적인 전문성을 가지고 싶어서 대학원엘 갔어요. 이론이나 연주법을 알지 못해도 음악이 즐겁고 행복한 거고 어렵지 않다는 걸 알게끔 하고 싶었거든요.

근데 기대랑 많이 달랐어요. 뭐 일단 제가 재미가 없더라구요. 나도 재미가 없는데 어떻게 그렇게 가르치지? 그리고 당시에 제가 음악을 가르치지 않았기 때문에 배워서 어딘가에 활용할 수도 없었어요. 그래서 휴학했죠.

2학기 복학하라고 메일이 왔어요. 지금 복학 안 하면 재적이거든요. 그래도 안 갈 것 같아요. 학비는 그냥 한 학기 인생 공부했다 치죠 뭐.

교사가 전문성을 기르는 데 걸림돌이 된다 싶은 것이 있어요?

자율성보다는 책임이 더 많은 직업이라고 해야 하나? 직업 전반적으로 책임과 규제가 되게 많다고 느껴요. 교사 개개인을 믿지 않는 교육부와 관리자. 학부모와 사회의 좋지 않은 시선들. 그래서 결국에 우리는 안전하기 위해서 더 위축돼요.

제가 어렸을 때 시골 학교에 다녔는데, 선생님들이 자연에 많이 데려갔어요. 목요일 날 재량활동 시간에 산에 가고, 고구마도 캐고 그랬거든요? 저는 그때 기억이 너무 좋아서 우리반 애들이랑 학교 앞 개울이나 뒷산에 자주 가고 싶은데 이게 막상 걸림돌이 많은 거예요. 관리자들이 걱정도 많이 하시고 혹시라도 무슨 일 생기면 다 내 책임이고. 그러니 주저하게 하는 거 같아요. 이러면 전문성을 기르기 어렵지 않을까요?

그리고 내부적으로는 '교사가 편한 직업이야.' 생각 하는거 같아요. '수업 뭐 그냥 대충 하면 되지. 아무도 안 봐' 이런 거. 내 수업 안 보여 주려 하고 수업에 대해서 얘기 안 하려 하는. 이런 분위기가 전문성을 기르는데 걸림돌이 되는 거 아닐까요?

학교 문화도 영향이 있는 것 같아요. 얼마 전까지 저는 '전학공'이 뭔지 몰랐어요. 그러다 나중에 전문적학습공동체라는 걸 알게 된 거예요. 아 진짜, 우리 학교에선 이걸 얼마나 안 했으면 내가 전학공을 모르냐 진짜. 그런 거? (웃음)

✎ 전문성 성장을 위한 환경

전문성이라는 건 어떻게 길러질까요?

안 길러 봤는데. (웃음) 글쎄요. 교사의 전문성이 레벨이 올라가는 것처럼 가시적인 게 아니잖아요. 보통 명의라고 하면 수술 결과 같은 기준이 있는데 교사는 그런 지표가 없고, 있어도 그게 정당하고 타당한 건지 잘 모르겠어요. 그리고 실제로 바로 결과가 나타나지도 않고, 아이가 수능을 잘 본다고 잘 가르친 것도 아니니까.

그리고 사람을 가르치는 직업이, 가르친다는 행위가 어떤 도구에 의해서 측정이 가능한 건지 모르겠어요. "전문성이 뭐야?"라고 말했을 때, 그냥 "수업 잘하는 게 전문성 아니야? 생활지도 잘하는 거 아냐?" 이런 생각이 분분하기 때문에. 그러니 '전문성이 길러졌어, 내가 전문가야.' 쉽게 말할 수 있을까요? 교원능력개발평가가 그래서 참 어려워요.

그럼에도 전문성을 어떻게 기르느냐는 물음에 답해본다면, 그냥 꾸준히 배우고, 해 보고 또 수정하고, 내가 해왔던 게 다 맞는 건 아니라는 겸손한 마음 가르치고. 이렇게 하면 성장이 있지 않을까요?

경험에서 얻는 것들이 크네요.

그렇겠죠. 그렇다고 경험만 한다고 해서 되는 건 아니고, 배워야죠. 그리고 배운다고 해서 다 되는 건 아니니까 새로운 걸 배우고 그걸 해보고. 인풋 했으면 아웃풋도 해보고. 피드백도 받고.

교직에 대한 자신의 부족함을 느낄 때 어디에서 그걸 채워요?

가장 효과가 좋았던 건 다른 선생님들의 경험담이었어요. 거기서 내가 잘 못하는 부분들 채우려고 했었어요. 또 선배 선생님들이 하는 것에 되게 자극받고 많이 채워져요. 취미 얘기할 때도 말씀드렸지만, 저는 제가 아는 선배 선생님이나 친구들이 실제로 해보고 효과를 얻은 경험에 영향을 많이 받거든요. 책이나 연수는 제가 아는 사람의 이야기가 아니니 저랑 거리가 좀 멀잖아요. '저 사람이니까 그럴 수 있지.' 싶죠. 그런데 참 안타까운 게, 서로 얘기를 안 해. (웃음)

전문성을 기르는데 주변 환경이 큰 영향을 미친다고 생각해요.

그쵸 그쵸. 특히 옆 사람에게 영향을 많이 받는 저 같은 경우는 같이 연구하는 분위기? 그런 걸 지원해 주고 '야 잘한다.' 이렇게 해주면 좋겠어요. 관리가 아닌 지원. 돈도 좀 주고, 필요한 것도 사주고 그렇게. 요즘 <우리가 꿈꾸는 교실>인가? 학급에 지원해주는 프로그램이라든가, 다른 학교에 존재한다는 전학공? (웃음) 좋은 것 같아요. 그리고 수업할 때 다 같이 힘을 모으고. 이런 환경이 다 전문성을 기르는 데 도움이 될 것 같아요.

그동안의 주변 동학년 선생님들 사이에서의 배움은 어땠어요?

여러 가지 많이 배웠죠. 학부모 대하는 방법이라든지, 애들을 어떻게 혼내야 하는지. 학교 일도 어떻게 해야 되는지 도와주셨고. 그치만 수업에 대해서는 거의 이야기를 못 했어요.

5학년 두 번째 맡은 해, 겨울 방학 땐가? 학년 발표 나고서 동학년이 한번 모여서 전 과목을 다 나눠 맡아 가지고 과목마다 필요한 준비물이라든지 가르치는 방법이라든지 그런 걸 이야기 나누는 시간을 가졌어요. 저는 그것만으로도 되게 좋았거든요? 근데 그때 한 번이 다였어요.

다음 해 2학년 할 때는 뭐... 제가 교육과정을 짰는데, "이거 넣으면 어떨까요?" 하면 모두 다 "좋아요."하시는 거예요. 사실 저는 교육과정에 대해서 하나도 모르는데. 이게 좋다고? (웃음)

초임 교사가 성장하려면 학교 환경에 변화가 필요할까요?

동료장학 제도를 많이 바꿔야 할 것 같아요. 솔직히 스스로가 지금 장학이 지금 너무 편해요. (웃음) 선생님들은 짝수 홀수 학년 나눠서 한 1분 정도나 볼까? 교장선생님만 조금 보고 다른 선생님들은 절대 안 와. 이건 좀...

프로 취미러
윤해피 선생님

좀 더 의미 있게 바뀌면 좋겠어요. 수업 공개를 하는 이유에 대한 철학도 나눈 후에 '이런 게 필요합니다.' 건의도 하고. 특히 동학년에서는 선생님들이 과목을 나눠 맡아서 수업을 붙잡고 다 같이 고민하는 거예요. 그 수업을 결국 우리 반에서도 하니까요. '아, 지도안은 이렇게 쓰고 수업은 이렇게 준비하는구나. 동기유발이 수업 목표와 잘 맞아야 되고 활동1은 활동2랑 이렇게 연결시키는구나.' 이런 걸 체득하지 않을까 싶어요. 시간도 걸리고 힘들긴 하겠지만, 그렇게 하면 초임 교사가 왔을 때 도움이 되지 않을까요?

그리고 평상시에 수업에 관한 이야기를 많이 하고, 교육과정도 같이 짜고. 프로젝트 수업까지는 아니더라도, 수업을 같이 보면서 "이건 교과서 내용 말고 다른 걸로 하자."라는 수업 회의만 해도 도움이 되지 않아요? 초임 때부터 그걸 겪으면 다른 것 같아요, 진짜.

✎ 스스로 바라는 교사의 모습

어떤 이들은 교사 경력이 쌓이면 자연스럽게 전문성이 생긴다고 말해요. 진짜 그냥 시간이 해결해주는 건지 의문이 들어요. 어떻게 생각해요?

매년 만나는 아이들이 달라지긴 하지만 이 일이 어느 정도 패턴이 있잖아요. 그리고 서당개도 3년이면 풍월을 읊는다고, 정말 몰라도 계속 계속 하다 보면 어느 정도 되긴 하겠죠.

그렇다고 시간이 다 해결해 주지는 않는다 생각해요. 왜냐면 제가 테니스를 2014년에 시작해서 햇수로 7년이에요. 그렇다고 제 실력이 7년 어치가 되는 건 아니잖아요. (웃음) 교사도 마찬가지로 5년 차는 이 정도쯤은 해야 한다는 기준이 있다면, 그만큼 노력을 해야 되지 않나요? 교사가 경력만 오래됐다고 해서 다 전문성이 있고, 경력이 적다고 해서 없진 않은 것 같아요. 스스로 고민을 해봐야죠.

교사에게 전문성이란, 어찌 보면 자신이 어떤 사람인지 정체성이 가장 잘 드러나는 지점이 아닌가 싶어요. 만약 스스로 기대하는

어느 정도의 전문성을 갖게 된다면, 어떤 스타일의 교사일 것 같아요?

분명한 교육철학을 갖고 모든 행위에 그 철학이 다 녹아 있는 교사. 내 행동엔 다 이유가 있어! (웃음) 그게 첫 번째고.

두 번째는 모든 아이들이 목표에 도달할 수 있는 수업을 만드는 교사. 학습 목표에 모두가 도달하는 건 저의 욕심이겠죠. 그렇지만 모두가 그 수업에서 조그만 거라도 얻어가는 수업을 하면 좋겠어요.

마지막으로 다른 누군가가 만든 게 아니라 바로 내가 만든 수업. 내 고유함이 묻어나고, 나의 경험과 노하우가 있는 수업을 하는 교사.

그런 교사가 되면 퇴직할 때 기쁘겠어요.

모르겠어요. 부족하다고 느끼겠죠. 그래도 부끄럽진 않겠죠. 저는 스스로에게 되게 인색해요. 전 정말 인색해요.

스스로에 대한 바람을 돌보는 시간이 무엇보다 필요할 것 같아요.

근데 저는 사실 계속 줄타기를 해요. 줄타기를. 내가 교사로서 더 발전하고 싶은 마음과, 내가 소중하고 내 삶을 지속하기 위해서 하고 싶은 것들 사이에서. 둘 사이에서 줄타기를 계속하고 있는 거예요. 이게 어떨 때는 되게 피곤해요. 교사를 그만하고 싶을 때도 많지만, 그래도 관둘 수 없는 노릇이고. 줄타기 중이에요.

취미 부자 윤선생의
'찐'바람은

그냥 줄타기의 저쪽으로 넘어가 버리지 않는 이유는 뭘까요?

저는 부끄러워지기 싫어요. 적당히 가르칠 수도 있어요. 그런데 내가 왜 교사를 선택했는지를 돌아봤을 때, 그렇게 생활하면 부끄러울 것 같아요.

저는 저한테 되게 인색한 사람이고 자길 되게 푸시하는 사람이거든요? 상담 선생님이 이 얘기를 들으시고 한번 일탈을 해 보라고 할 정도로 저 스스로에게 되게 엄격해요. 내 이상처럼 일하려면 엄청나게 노력을 해야 되고 자아를 몰아가야 되는데, 그렇게 하면 다시 옛날처럼 힘들어질 거라는 두려움 때문에 그렇게 못 하는 거죠. 그래서 나를 보호하기 위해 취미활동에 집중하고 있지만, 나의 이상은 여전히 저기 있고. 괴롭기도 하고 어쩔 수 없다 싶기도 해요. 줄타기는 그런 의미죠.

다들 왜 애를 안 낳냐고 물어보는데, 저는 생각도 복잡하고 이전의 힘들었던 경험도 있어서 아이를 안 낳는 거예요. (웃음) 그래서 대신 고양이를 키우는 거예요.

선생님이 진짜 바라는 건 줄타기를 그만 하는 걸까요, 아니면 줄의 저쪽으로 넘어가는 걸까요?

줄타기를 한동안 해야겠죠. 오래 할 수도 있어요. 저는 어쩔 수 없이 고민하지만, 이걸 꼭 결론 내야 한다? 이렇게 생각하지도 않아요. 직업인으로서의 나와 그냥 나. 둘 사이에서의 고민, 안 하세요?

🎤 클로징

교사를 언제까지 할 생각이에요?

평소에 "나는 10년만 하면 관둘 거야."라고 말했는데, 이제 5년 남 았다. 예~쓰! (웃음)

모르겠어요, 언제까지 할지. 사실은 한 직업을 수십 년씩 하는 게 가능한지 잘 모르겠고. 교사가 첫 직업이라 다른 직업은 어떨지 궁금하 기도 하고. 교직이 내가 제일 잘하는 분야는 아닌 거 같아요. 그치만 또 한편으론, '방학도 있고.. 퇴근도 빠르니까 취미 생활하기에는 이만한 것 도 없지.' 싶고.

'정년까지 꼭 해야지.' 이런 생각은 없어요. 그게 10년 째건 15년 째건, 만약에 내가 정말 다른 하고 싶은 해야겠다 싶으면 미련 없이 그만 둘 수 있을 것 같아요.

지금 언뜻 이라도 보이는 분야가 있어요?

아, 그걸 못 찾아서 못 그만두고 있어요.

취미 부자 윤선생의
'찐'바람은

마지막 질문이에요. 두 번째 학교에서는 어떤 모습일 것 같아요?

일단은 어떤 업무를 받아도 잘해내도록 할 거예요. 수업이나 학급 경영에서는 그동안 못 했던 교육과정 재구성이랄지 그런 걸 할 수 있는 모임을 찾고 싶어요. 아니면 혼자라도 한번 해 보지 않을까? 그러고 싶어요. 그럼 어떻게든 될 거 같아요. 되어야 할거고.

지금은 그때 상처를 극복하기 위해서 취미활동에 몰두하고 있고 직업인으로서의 교사로 살고 있지만, 사실 제가 바라는 건 수업을 잘하는 교사예요. 지금 수업을 잘한다고 생각하지 않으니까. 어느 정도 저의 심적인 어려움이 해결이 되면 시도해 보지 않을까요? 같이 할 좋은 분들을 만나기를 기도해야겠죠.

인터뷰5

육아 퇴근 후
학교로 출근합니다

 엄마로 돌아온
김열정 선생님

66

발등에 불이 떨어져서
시험을 다시 치게 됐어요.

인터뷰어 _ 황선영

김열정 선생님은 근무지역을 옮기기 위해 휴직 중 임용시험에 재도전했고, 합격하여 올해 새로운 지역, 새로운 학교에 복직했다. 3년 만에 돌아온 학교에서 오랜만에 만난 학생들과 새로 맡게 된 업무는 그에게 어떤 의미였을까? 육아 퇴근 후 학교 출근, 학교 퇴근 후 육아 출근을 하는 김열정 선생님과 함께 그의 두 가지 출근 이야기를 나누어보았다.

온라인 화상 인터뷰

2020년 11월 4일 오후 2시

육아 퇴근 후
학교로 출근합니다

🎤 오프닝

발령은 언제인가요?

2015년 3월에 발령 받아서 올해 4학년 가르치고 있습니다.

올해가 몇 번째 아이들이세요?

올해 4학년이 세 번째로 만나는 아이들이에요. 저는 중간에 육아 휴직을 해서 수업한 해만 따지면 이제 3년차 되는 거예요.

임용시험을 다시 본 걸로 알고 있는데, 그 과정이 어땠는지 얘기 해주실 수 있을까요?

제가 결혼을 일찍 했어요. 남편이 울산 기업체에 다니는데 직장을 바꿀 수 없었어요. 저는 그 당시 창원에 근무를 하고 있었는데 울산으로 교환을 가려고 하니 워낙 저연차라서 힘들었고, 울산이 선생님들이 하기에 교육환경이 좋다고 하시더라구요. 울산에서 경남으로 오는 케이스가 거의 없어 TO도 없었어요.

제가 울산에 언제 갈 수 있는지 모르는 상황이 되어서 이렇게 하다가는 애도 나 혼자 키워야하고 집도 따로 구해서 살아야 되겠다 싶은 거예요. 그래서 차라리 그냥 맘 편하게 시험을 새로 치는 게 낫겠다고 생각했어요. 제가 아직 저연차였으니까 조금이라도 기억이 날 때 한번 해볼까 했죠. 장거리로 떨어져서 살게 될 상황이라 발등에 불 떨어져서 시험을 다시 치게 됐어요. 울산은 가기 쉽지 않았어요.

현직에서 교사하시면서 임용 준비를 하신 건가요?

아니오. 제가 육아휴직 중에 시험을 봤어요. 저는 임신을 하고 나서 3월자로 바로 육아휴직을 했거든요. 2017년도에 육아휴직을 했어요. 3월부터 육아휴직 중이니까 조금 시간적인 여유도 있었고, 재수해서 교대간 친구가 저보다 한 학년 아래라서 임용 준비하던 책도 그대로 물려받을 수 있는 환경적인 찬스가 있었어요. 제가 새로 책도 구입할 필요가 없었고, 강의 필기도 다 되어 있어서 덕분에 저는 강의도 안 듣고 핵심만 공부할 수 있었어요. 그 친구한테 되게 고마워요.

　　그리고 이미 임용시험을 본 적이 있고 어찌됐든 경남에 합격해서 현직 교사로 일하고 있었으니까 시험에 떨어져도 돌아갈 곳이 있어 심적인 부담이 덜했어요. 후배들보다 불안감이 덜해서 아무래도 그런 것도 임용에 크게 작용하지 않았나 싶습니다.

휴직 중에 공부를 하셨다고 해도, 임신한 몸을 돌보는 것만으로도 힘들었을 것 같아요. 그런 상태에서 어떻게 그렇게 공부를 할 수 있었나요?

　　그 때를 돌이켜보면, 3월에 공부 조금하고, 5월에 첫째 낳고 나서 6, 7, 8, 9월까지 쉬다가 10월에 바짝 했어요. 10월에는 어떻게 했냐면, 친정인 진주에 내려가서 공부했는데 친정 본가 맞은 편에 독서실이 있어요. 그 독서실을 끊고 한 달 동안 친정 부모님이 첫째 아이 케어를 해주시고, 저는 집에서 밥만 먹으면서, 첫째 아이 잠깐씩 보고 그러면서 공부에 전념했어요. 친정 부모님께서 그렇게 아이를 봐주시니까 가능했죠. 밴드도 가입하고 후배들과 함께 공부를 했어요.

현직 교사가 임용 시험을 다시 치면 의원면직이라는 걸 하게 되죠? 의원면직은 언제 하는 건지, 본인이 합격한 거 알고 나서 하는 건지 궁금해요.

합격한 걸 알고 나서 해요. 합격하고 나서 그 서류를 울산에 제출했을 때 그 때 동시에 한 것 같아요. 제가 원래 다니던 학교의 교감 선생님께 울산 발령 받았다고 하니까 제 사정을 알고 계셔서 함께 좋아해주시고 엄청 축하해주셨어요.

울산 시험을 준비하는 것을 교감 선생님께서 알고 계셨나요?

아니오. 말 안 했어요. 그 정도로 친하지 않았기 때문에. 교감 선생님께서는 제가 울산에 합격하고 나서 아셨어요.

만약 학교에 근무 중일 때 시험을 봤다면 또 달랐을 것 같네요.

근무 중이었어도 축하해주실 것 같아요. 그렇지만 소위 반수하면 눈치보인다 하는 것처럼 주변이 신경은 쓰였을 것 같아요. 전 육아휴직 중이었기 때문에 마음 편하게 할 수 있었어요. 그리고 정말 시험 삼아 해봤는데 운이 좋았어요. 아무래도 유경험자다 보니까, 임용 책을 공부할 때 '아, 이거는 안 나올 것 같은데.' 이런 감이 있잖아요. '이건 공부해도 안 나왔었다.' 이런 게 있어서 딱 외울 것만 외우고 안 할 것은 안 하는, 선택과 집중이 잘 되었어요. 그런 식으로 하니까 되게 필기를 잘 봤어요.

"

둘 중에 하나는 포기해야
다른 하나를
얻을 수 있으니까요.

꽝장히 높은 성적으로 발령받은 걸로 알고 있는데 대단하십니다.

아, 이건 자랑해도 될 것 같아요. 필기는 1등입니다. (웃음) 영어 스터디를 구하지 못해 실기에서 미끄러져 2등으로 최종 합격했습니다.

✎ 새로운 학교에서의 복직

2017년도에 육아휴직을 하고 시험도 다시 봤네요. 그 때부터 쭉 휴직하다가 올해 복직한 건가요?

네, 올해 복직했어요. 제가 첫째를 낳고 또 연년생으로 임신을 해가지고 18년도 8월에 둘째를 출산하게 되었어요. 원래 2019학년도 쯤에는 복직을 하려고 했는데 둘째가 너무 어리다 보니까 둘째 어린이집 다닐 때부터 복직하자 싶어서 미뤘어요. 어린이집에 3세반이 있거든요. 둘째가 올해 세 살이 됐어요. 그래서 복직을 할 수 있었습니다.

육아 퇴근 후
학교로 출근합니다

새로 발령 받은 학교는 첫 학교랑 또 다르겠죠? 적응이 어렵진 않았나요?

전 좀 걱정스러웠던 게 선생님들은 연도마다 몇 년 이상 채우면 또 다른 학교로 옮겨야 되잖아요. 이전 학교에서도 새로운 선생님이 오시고 같이 지내던 분이 다른 학교로 가시는 걸 보면서, 새 학교에 가면 우리가 전학생 같이 떨리고 다 낯설고 그래서 적응을 어떻게 하지 싶었는데 막상 옮겨 보니까 그렇게 막 어렵진 않더라고요. 제가 복직과 동시에 학교가 옮겨진 거다 보니까 더 어렵지 않았어요. 새롭게 시작하면 되니까. 어차피 다 잊었기 때문에 그냥 물어보고 선생님들이 알려 주시면 배우고요.

이걸 뭐라고 말씀드려야 하냐면, 복직이 너무 큰일이다 보니까 학교를 옮기는 일보다 더 크게 느껴지는 느낌? 새롭게 일을 다시 시작하는 것에 적응하는 게 더 힘들었지, 학교가 바뀌어서 힘든 건 덜했던 것 같아요. 이전 학교에 대한 기억이 육아휴직 중에 많이 없어졌거든요. 그래서 다른 선생님들 같았으면 '우리 예전 학교는 이랬는데 이 학교는 이렇네.'하면서 약간 불편할 수도 있는 게 저에게는 다 새로워서 불평거리인지조차 인지 못했어요. 복직에 대한 설렘 때문에 힘든 것도 잊으면서 했고 말이에요.

게다가 코로나랑 맞물려 가지고요. 올해 뭔가 바쁜 느낌이 있다가도 코로나 없이 시작하는 것보다는 조금 여유 있게 느껴졌던 것 같아요. 왜냐하면 코로나는 다른 선생님들도 다 처음이니까 공감이 많이 됐거든요. 다 같이 혼란스러우니까요. 그 혼란스러움을 저만 느꼈다면 되게 힘들었을 것 같은데 다른 선생님들과 같이 배워나가니까 괜찮았어요. 오히려 컴퓨터 이런 거는 제가 나이가 어리다보니까 알려드릴 수도 있고 해서 적응이 수월했어요. 우리 학교가 선생님들 연령대가 높거든요.

선생님들과의 관계나 새로 맡게 된 업무도 궁금해요.

일단 제가 육아를 해야 되기 때문에 3, 4학년을 지망했어요. 고학년은 늦게 마쳐서 육아시간을 쓰기 힘들 거든요. 육아시간을 쓰면 2시 40분에 퇴근을 할 수 있어요. 그래서 4학년이 되었고, 대신에 우리 학교 선생님들 연령대가 높으셔서 제가 업무는 안전을 받게 되었어요.

안전 업무! 큰 업무 아닌가요?

그래서 코로나 아니었으면 정말 3월에 죽었을 것 같아요. 안전 업무는 행정 업무도 많고 계획서 세울 것도 너무 많아요. 달마다 관리해야 할 것도 많고요. 구역별 안전점검체크리스트 4일마다 써내야 될 것 안내도 드려야 되고, 안전교육으로 보면 학생들 안전 교육 계획서도 제가 다 모아서 교육청에 올려야 되고, 교사들 안전연수 의무적으로 들어야 하는 것도 이번이 2주기더라고요. 3년 주기 도는 것도 제가 다 관리해야 하고 그래서 안전 업무 자체는 좀 힘들어요.

그런데 일단 한번 해봤으니까 왠지 내년에 또 해야 할 것 같긴 해요. 이게 그렇잖아요. 원하는 업무나 원하는 학년 둘 중에 하나는 포기해

야 하나를 얻을 수 있으니까요. 제가 학년은 3 아니면 4학년을 내년에
도 하고 싶어서 업무는 조금 남들이 기피하는 업무를 해야 교감 선생님
께서 고려를 해 주시지 않을까 해요. 둘 다 얻을 순 없으니까.

**안전은 부장님이 하실 정도로 큰 업무인데 육아시간을 쓰시는 선
생님이 하게 됐네요.**

제가 겪어보니까, 육아휴직 쓰는 사람한테는 대우를 안 해 주시
는 것 같아요. 왜냐하면 (관리자가) 남자가 많기도 해서 그런 힘듦을 잘
모르시는 것 같아요. 작년에 이 업무를 맡으셨던 선생님께서 "이 업무는
신규가 하기 힘들텐데, 게다가 육아시간 쓰는 사람에겐 더욱."이라고 하
셨거든요. "교감 선생님이 내가 너무 일을 잘해서 쉬운 업무인 줄 아시나
보다." 뭐 이렇게 하실 정도로.. 그리고 그 분은 올해 부장님하세요. 아무
튼 힘든 업무인 거 맞고요. 일도 많아요. 저는 학년에서는 연구와 총무
를 맡고 있어요. 학년 업무 정하고 반을 뽑는 날 제가 지각을 했거든요.

설마 그래서 연구가 된 건 아니죠?

그래서?(인 것 같기도 한데) 근데 어쩔 수가 없더라고요. 학년 구
성상 1반은 학년 부장님이시고 정보부장님이세요. 그렇게 겸임부장님
한 분, 2반 선생님은 연세가 많으시고 평가를 이때까지 쭉 해오신 거 같
더라고요. 다른 학교에서도요. 학년 평가를 하신다고 선언을 한 상태였
고, 3반은 교무부장님이세요. 그러니 남는 게 저 밖에 없었죠. 다들 그런

분위기더라고요. 그래서 그 때 친구들이 알려준 "육아시간 써야 되고, 애가 둘이 있고, 힘들어요, 못해봤어요." 이런 말도 해봤지만 안 통했고 거의 이미 정해진 자리였어요.

지각을 안 했어도 그걸 받았겠네요.

네. 지금 생각하면 당연히 내가 했어야 되는 건데, 내가 누울 자리를 보고 발을 뻗어야 하는데 그것도 모르고 그랬던 느낌이에요.

학년 총무일은 어때요?

저는 총무 역할을 많이 해봤어요. 사람이 좋아하는 분야가 각자 있는데, 저는 돈 관리하는 거. 일단 좋아하거든요. 공용 돈일지라도 제가 관리하는 걸 좋아해요. 그래서 예전 학교에서는 진주교대 총동문회 총무도 했었고, 대학교 시절에도 3학년 때 과 총무를 제가 했었고요.

자진해서 총무를 하신 건가요?

진주교대 총동문회는 아닙니다. 그거는 어쩔 수 없이 제가 젊고 경남에 있다보니까 진주교대 일이 많아지고 하게 됐어요. 이번 총무도 연구에다가 육아까지 하기 때문에 할까 말까 고민하다가 하게 됐어요. 원래 같았으면 바로 제가 한다고 했을텐데 말이에요.

코로나 때문에 (급식을 안해서) 학년 선생님들과 점심을 같이 먹을 일이 많았잖아요. 그 때 계산을 하는데 처음에는 돌아가면서 하다가 어느 순간 돌아가면서 하기가 부담스러운 시간이 왔을 때쯤 우리도 총무를 뽑아야 되지 않겠나 하는데, "막내가 해라." 이 말을 2반 선생님께서 하셔서. (웃음) 2반 선생님 아니면 제가 총무를 맡을 분위기였는데, 왜냐면 나머지 두 분은 부장님들이라 빼면요. 2반 선생님도 약간 하실 수도 있을 것 같아서 제가 먼저 나서서 하겠다고 안 했는데 2반 선생님이 그렇게 말씀하시는 순간 "아, 예~ 제가 할게요~" 이렇게 된 거예요. (웃음)

막내가 해라는 말을 듣고 한 건 줄은 몰랐네요. 원래 돈 관리를 좋아하신다고 해도 그런 말을 듣고 하는 거면 기분이 좀 다를 수도 있을 것 같아요.

그냥 받아들이고 있었어요. 왠지 그럴 것 같다는 느낌도 반신반의하면서 갖고 있는 상태여서. 반은 그런 말이 나올 거라고 직시하고 있는 상태여서 쉽게 받아들였어요. 그리고 카카오뱅크 모임통장 같은 게 있다고 1반 부장님께서 말씀하시더라고요. 그건 어렵잖아요, 2반 선생님이 하시기에는. 그래서 저로 확정되는 분위기였고, "어려우니까 이제 이런 건 막내가 해라." 이렇게 됐죠.

그런데 말은 늬앙스가 중요한데, 되게 말씀을 좋게 해주셨어요. 2반 선생님이 재미있으시거든요. 유쾌하시고 잔정이 많으셔서 잘 챙겨주세요. 그래서 그런 말씀도 저는 기분 나쁘지 않았죠. 약간 예상한 것도 있고, 잘 말씀해주시기도 했고. 억압적인 느낌이 아니었어요. 동학년 선생님들이 그런 면에서 너무 좋아요.

🎤 육아가 바꾼 관점과 생활

학교 출근해서 학급 아이들을 가르치면서 학년의 연구와 총무 일도 하고 학교 업무로는 안전까지 하고 계시잖아요. 그러고 나서 퇴근하면 퇴근이 아니죠?

아니죠. 근데 퇴근하는 길 자체는 즐거워요. 일단 학교를 나가는 것 자체가 너무 즐거워요, 낮시간에. 낮에 퇴근하는 게 참 좋고 운전하면서 나만의 공간, 교실에 비해 작은 나만의 공간에서 아늑한 느낌을 받는 것도 좋아요. 퇴근 길은 좋은데, 퇴근하고 어린이집에서 애들을 데려오는 순간부터 좀 피곤해지는, 육아출근이 시작되죠.

육아 상황이 선생님의 교직 생활에 어떤 영향을 미쳤나요?

제 생각에는 아무래도 학생들이 어떻게 자라는지를, 특히 가정에서의 생활모습을 제가 많이 유추할 수 있게 된 거 같아요. '아, 얘네들 이

"

그냥 자기라서
소중하다는 걸
알았으면 좋겠어요.

랬을 거 같은데.' 나도 우리 집에서 우리 애들이 밥도 제대로 못 챙겨 먹고 뭐 세수도 제대로 못 하고 그렇게 가는 때도 있는 것처럼, 우리 반 학생들도 그럴 거라고 보죠. 학생들을 자식처럼 그리고 아이로서 보게 되는 것 같아요.

옛날에는 제가 가르칠 때 '얘네들은 왜 이렇게 컸는데 이런 것도 못하지?' 이런 식으로 생각한 적도 있는데 사실 아직 어린 게 맞더라고요, 키워보니까요. 제 아이가 초등학생이 된다고 해도 여전히 어려보일 것 같고 챙겨줄 것도 많은데 4학년이라고 해봤자 11살이잖아요. '그래봤자 11살인데 뭘 알겠니~' 이런 식으로 자식처럼 생각하게 되고 잘 못하더라도 '못하는 게 맞지.' 이렇게 생각해요. 그리고 좀 더 엄마처럼 챙겨주게 되고요. 그리고, 아줌마라는 자체가 좀 더 아이들 가르치기엔 좋아요.

어떤 점이 그런가요?

선생님이 결혼했다고 하면 뭐가 어른 같은 느낌? 저희가 지금 결혼을 하든 안하든 어른인데도 뭐가 아줌마고 아이가 있다고 하면 애들이 저를 더 어른스럽게 봐주는 느낌이 들어요. 제가 결혼 안 한 아가씨면 애들이 친구처럼 저를 대하잖아요. 근데 "선생님은 결혼도 했고 아기도 낳았다, 너희같은 애들도 있다, 몇 살짜리 아기가 있다."고 하면 "오, 진짜요?" 이러면서요. (웃음) 좀 더 애들을 다룰 줄 알게 된 느낌이에요.

아이가 없을 때 학생들이 친구처럼 대하던 것에 비해, 지금 애들이 선생님을 좀 더 어른스럽게 보는 게 마음에 든다는 거죠?

저는 친구처럼 할 때도 좋았지만 사실 교사가 애들하고 친구처럼 지낼 수는 없잖아요. 지내도 좋긴 하지만 저희는 가르쳐야 되는 입장이고, 아이들을 통제하고 관리하고 챙겨주고 보호자로서의 역할도 해야 하니까요. 지금은 가정에서 우리 애들을 지도할 때의 그런 방법들을 학교에서도 적용할 수 있으니까 제가 조금 더 애들을 어른으로서 다루는 느낌이 생겼어요.

이전보다 만족도가 높아지신 것 같아요.

내년에 또 겪어봐야 알 것 같지만요. 올해 너무 좋은 아이들과 함께해서 그런 건지는 모르겠어요.

첫째 낳고 이렇게 교직에서의 관점이 변했는데 둘째 낳고는 또 다른가요? 연년생으로 낳고 이어서 휴직하셨으니 똑같으려나요?

아이들 자체를 볼 때 달라진 점이 있어요. 진짜 둘째를 낳아봐야 제대로 엄마인 것 같아요. 둘 있는 것이랑 하나만 있는 거랑은 정말 달라요. 첫째 때는 너무 애지중지하게 되더라고요. 자식이 하나만 있으니까, 첫째가 제 자식의 전부니까요. '원래 아기들은 다 이렇구나, 출산할 때는 원래 다 그렇구나.' 저한테는 육아가 그냥 얘 자체인 거예요. 그랬는데 둘째를 낳아보니까 너무 다르더라고요. 아이마다 기질이 이렇게 다르다는 걸 알게 되어서 이해의 폭도 넓어지고 내려놓는 것도 많이 내려놓게 됐어요. 첫째 때는 애가 어지르면 스트레스를 많이 받았어요. 근데 지금은 오히려 어지럽히는 거 자체를 그냥 놀이라고 생각하고 '이 시간 너희가 어지럽히는 동안이라도 난 좀 쉬어야겠다~' 이렇게 마인드가 바뀌어지더라고요. 둘이 있으면 감당이 안되니까 그냥 내려놓게 되는 거죠.

그리고 여자, 남자아이니까 성향도 다르고 그런데서 키우는 재미도 느껴요. 그래서 우리 반 여자애들 볼 때는 우리 첫째가 떠오르고, 남자애들 볼 때는 또 우리 둘째가 떠오르니까 흐뭇한 미소가 막 지어질 때가 있어요. 오늘도 누구를 보면서 막 우리 아들이 떠올랐어요. 애들이 "왜 선생님 저한테 귀엽다고 해요?" 이렇게 말할 때도 있는데 전 그냥 귀여워요. 누구 말 안 듣는 애 있으면 "아이고, 너는 아직도 4학년인데 아기네, 초등학생 어린이가 아니고 아기다."라면서요. 옛날 같았으면 그냥 화가 났을 것 같은데, 지금은 오히려 농담식으로 별명을 만들어 불러요. 최대한 아이의 기분을 안 나쁘게 해주고 싶어요. 예를 들어 이름이 열정이면 장난스럽게 "열정 베이비~"이러면서요.

그리고 복직하면서 달라진 것은, 보상할 때 예전에는 벌점을 주기도 했는데 이젠 벌점 같은 걸 안 주고 싶어진 거예요. 그냥 긍정적으로 애들이 생각했으면 좋겠고. 그래서 잘하는 애들한테는 보상을 주지만 못하는 애한테는 '마이너스 몇 점' 이런 건 올해 안 주고 있어요.

그것도 육아하면서 달라진 선생님 모습이네요.

그렇죠. 제 아이가 마이너스 벌점을 받았다고 생각하면 기분이 안 좋을 것 같아요. 그냥 잘 하는 애한테는 더 잘하게 격려해주는 게 좋을 것 같아요. 제가 상담을 받고 있거든요. 독박 육아를 하면서 스트레스를 되게 많이 받아서 상담센터를 꾸준히 다니고 있는데 거기에서 제 얘기를 허심탄회하게 하면서 많이 힐링이 되었고, 저도 그런 걸 우리 반 학생들에게 전해주고 싶어요. 그래서 온라인 수업할 때도 창체 시간 활용해서 자존감에 대해서 수업도 하고 그랬어요. 요새 애들이 너무 힘들잖아요. 코로나 시대라 마스크도 계속 쓰고, 학원도 많이 다니고 학업 스트레스도 많고요. 그래서 뭘 했기 때문에 칭찬을 받는 게 아니라 그냥 '나라서 소중'하다는 걸 알았으면 좋겠어요. 그래서 항상 네 자체로도 소중하다고 말하고 칭찬을 많이 하려고 해요. 아픈 손가락 같은 학생들이 있는데 그런 친구들한테 더 관심이 많이 가기도 해요. 그 자체로 존중받을 수 있도록. 이제는 그런 부분에 관심이 많이 가네요.

임신했을 때 임신이 육아휴직하고 딱 시작되는 게 아니잖아요. 임신하고도 출근한 기간이 있었을 텐데 어떤 점이 힘드셨나요?

우선 제가 힘들다고 생각한 점은 학생들 앞에서 힘들다고 말하기가 어려웠다는 점이에요. 임신 사실을 말하면 학부모들 사이에서도 입에 오르내리잖아요. 그래서 굳이 말하고 싶지 않았어요. 임신 초기에는 티가 안 나니까요. 제 사생활이기도 하고.

그런데 사실 저는 임신 초기에 힘들었거든요. 왜냐하면 급식실 냄새들, 그 냄새가 진짜 너무 맡기가 힘들었어요. 급식실에서 나는 냄새는 우리가 임신 안했을 때도 무슨 냄새인지 알만큼 특유의 느낌이 있잖아요. 음식 냄새 포함해서 약간 물 냄새, 수증기 냄새 그런 게 입덧 기간일 때 임신 초기에 많이 힘들었어요.

또 잠이 많이 왔는데, 제가 알기로는 임신 초기에도 12주까지인가 조퇴를 할 수 있어요. 하지만 저는 초기에는 그 모성보호시간을 쓰지 않았고 그러다보니까 굉장히 피곤하더라고요. 잠이 쏟아지는데 그런 점을 학생들한테 티를 못 내는 게 제일 힘들었어요. 사실 동학년 선생님들한테는 다 알렸는데, 그 때 우리 학년은 30대 선생님들께서 많으셔서 잘 이해해주시고 배려를 많이 받아서 그 부분은 참 감사하고 운이 좋았다고 생각해요.

다행이네요. 그 뒤에 출산휴가, 육아휴직을 쓸 때도 매끄럽게 진행이 잘 되었겠어요.

네. 공무원이다 보니까 그런 건 크게 눈치보이지 않았어요.

육아휴직 말 나왔으니 궁금해요. 선생님들이 육아휴직 언제부터 언제로 쓸지 시기를 계산하시기도 하지요?

그렇죠. 그런데 임신이 계산대로 되기가 힘들죠. 일단 한 자녀당 육아휴직을 3년 쓸 수 있거든요. 그런데 육아휴직을 임신했을 때부터 바로 쓸 수도 있어요. 보통 선생님들이 막달 다 되었을 때 출산휴가 3개월 있는 걸 쓰세요. 이 때는 월급이 나와요. 수당 몇 개는 빠져서 나오지만 거의 평소 월급처럼 나와요.

그런데 좀 특이한 건, 애를 낳을 거면 명절 즈음에 출산휴가가 들어있으면 좋다는 거예요. 출산 휴가 기간에 명절이 포함되어 있으면 명절 상여금을 받을 수 있어요. 저는 그게 좀 불공평하지 않나 생각해요. 어떤 사람은 받을 수 있고 어떤 사람은 못 받고. 애가 원하는대로 자유롭게 가질 수 있다고 가져지는 게 아닌데 말이죠.

만약에 출산휴가를 10, 11, 12월 이렇게 쓰면 추석이 포함될 경우 월급에 더해 명절 상여금까지 받을 수 있는 거죠. 그 다음에 3개월이 다 지나면 보통 육아휴직을 이어서 쓰는 경우가 많아요.

출산휴가를 명절 전에 다 썼으면, 명절 땐 이미 육아휴직에 들어가있게 되어 급여가 달라지네요.

네, 휴직에 들어가면 못 받는 거고요. 본봉의 40%만 나와요. 전체 다 받는 것도 아니에요. 그런데 또 그것도 1년만 나오거든요. 육아휴직 3년 중에서 1년만 월급이 나오는 유급휴직으로 인정돼요. 나머지 2년은 무급휴직이에요. 그리고 유급휴직일 때 월급 40%도 다 나오진 않아요. 거기에서 25%만 나와요.

정말요?

15%는 또 떼요. 왜 떼냐면, 이건 일반 회사도 마찬가진데, 육아휴직을 다 쓰고 다시 회사로 돌아와서 근무를 6개월간 하면 그 때 떼갔던 15%에 한한 금액을 다 모아서 줘요. 저는 3월에 복직했으니까 9월쯤에 나왔던 것 같아요.

저는 완전히 처음 알았네요, 이 부분은.

그러니까요. 아니, 저는 조금 억울한 게 의원면직을 했잖아요. 그래서 경남에서 육아휴직을 쓴 거는 떼가기만 하고 받지를 못했어요.

그것도 줘야하지 않나요? 경력인데.

그러니까 그 부분에서는 제가 인정을 못 받았어요. 그래서 이 제도에 대해 제가 좀 건의하고 싶어요. 교육청이 다르다보니까 건의를 할 수가 없더라고요. 저는 경남에서 육아휴직을 썼고 경남에서 근무한 건 경력 인정됐지만 육아휴직으로 떼갔던 급여에 대해서는 돌려받는 걸 인정 받지 못했어요. 그건 어쩔 수가 없대요. 저희 행정실 주무관님께서 알아봤는데 저희 울산이 아니기 때문이래요. 만약에 받으려면 경남에서 6개월을 근무하고 받고 왔었어야 되는 거죠.

6개월 근무 조건이 안 채워져서 그런 거군요. 아깝게 됐네요.

그러니까요. 그런 부분이 있더라니까요. 지역을 옮기는 사람은 생각을 안한 것이죠.

경력이 아예 끊긴 게 아닌데 조금 애매하네요. 이건 바꿔야 될 것 같기도 한데.

경력은 인정되는데, 돈은 못 받는. 어쩔 수 없다고 생각해요. 그리고 둘째를 낳으면 복지포인트 준다는 것도 친구한테서 들었고요. 친구가 알려줘서 망정이지 안 그랬으면 신청을 못 해서 200만원 정도 되는 큰 돈을 못 받을 뻔 했어요. 모르는 사람은 이런 혜택을 많이 놓칠 것 같아요. 행정실 분들께서 홍보를 해주시면 좋겠어요. 제가 그 때 물어보니까 행정실 주무관님들도 제도가 계속 바뀌어서 헷갈리시는 것 같아요. 저도 육아휴직을 하며 겪어보니 제도 자체가 변하는 걸 느껴요. 조금 더 좋은 쪽으로 바뀌고 있긴 한데 자꾸 바뀌다 보니 그 혜택을 미처 못 받는 경우도 생겨요. 주무관님 실수로 제가 돈을 토해낸 적도 많고요. 워낙 계산하는 게 복잡하다보니 실수가 생기죠. 그래도 전체적으로 제도 자체는 계속 좋아지는 것 같아요.

*하고재비_ 무슨 일이든지 적극적으로 하려고 하는 사람을 가리키는 경상도 말

아이가 생기기 전에는 일상에서 어떤 감정을 제일 많이 느끼고 누구랑 무슨 활동을 제일 많이 했는지 궁금해요.

아이가 생기기 전에는 일상생활의 포커스가 저에게 맞춰져 있었죠. 아무래도 싱글이고 남자친구가 있긴 하지만 결혼을 안 한 상태니까요. 저 자신의 자기계발에 초점을 맞춰서 살았어요. 문화센터를 다닐 때도 제가 배우고 싶은 걸로 배웠죠. 저는 새로운 걸 배우는 걸 좋아해서 문인화도 배웠고, POP도 배웠고 요가도 다녔어요. 제가 하고 싶은 솔로 인생을 많이 즐겼어요.

그리고 학교 안에서 나이대가 비슷한 선생님들과 함께 혹은 창원에서 근무하는 친한 대학 동기들과 함께 술자리나 모임을 자주 가졌어요. 주말마다 누구와 만날지 그런 걸 정했어요. 그러다가 한 주는 쉬고 그런 식으로요. 제가 호기심이랑 의욕이 많은 대신 에너지가 금방 소진되는 편이에요. 체력적으로 금세 지쳐서 자기계발이나 모임을 가지는 중간 중간 쉬어줬죠.

그렇다면 아이를 키우는 지금은 어떤가요?

결혼 전 생활이 그랬다면, 지금은 라이프 자체가 규칙적일 수 밖에 없어요. 심지어 주말에도 7시 정도에 일어나요. 애들이 정말 규칙적이에요. 시계도 볼 줄 모르는데 늘 같은 시각에 일어나서 저를 깨워요. 애들이 손가락으로 제 눈꺼풀을 열어서 정말 눈을 뜨게 한다니까요. 눈을 안 뜰 수가 없어요. 정말 더 자고 싶을 때는 가끔 TV 틀어주고 다시 자요. (웃음) 너무 피곤할 때만요.

그래서, 제 삶은 규칙적이고 아기들한테 초점이 맞춰질 수 밖에 없어요. 문화센터도 이제는 아기들 발달에 맞춰서 다녀요. 어린이집을 다니지 않을 때는 오감놀이나 촉감놀이 같은 걸 알아보고, 말문이 트이기 시작할 때에는 프뢰벨 말하기 프로그램 전집을 알아보는 식이에요. 아이의 발달에 맞추어 책이라든가 장난감이라든가 문화센터라든가 알아봐요. 쇼핑을 할 때도 제 물건을 사기보다는 아이들 먹는 것, 홍삼젤리 같은 걸 보게 되고요. 옛날엔 제가 필요한 것을 샀는데 지금은 뭐든지 아기들 위주로 돌아가죠.

하루 일과도 아이들 중심이겠어요.

아침 7시 20분쯤 일어나서 준비하는데 저는 요새 옷도 엄청 편하게 입고 화장도 대강 간단하게 해요. 둘째는 기저귀를 차거든요. 젖은 기저귀를 벗기는 걸로 하루가 시작되죠. 열심히 벗기고 씻겨주고 다시 새 기저귀를 입히고 옷 갈아입히고. 첫째는 변기가 높아서 아직 혼자서 계단을 밟고 올라가서 중심 잡는 걸 힘들어해요. 그렇게 첫째가 쉬 하는 걸 도와주고 또 옷 갈아입히고 머리 묶어주고 둘 다 세수시키고 간단히 우유나 먹을 걸 챙겨주고요. 겨울되니까 외투에 양말에 챙길 게 많아요. 신도 다 신겨놨더니 자기가 신겠다고 다 벗어던지면서 떼도 써요.

"
저를 온전히
보여줄 수 있는 창구,
저를 보이는
자아실현 공간 같아요.

제가 키워보니까 흡사 파도타기, 파동처럼 말을 잘 들을 때는 엄청 잘 들었다가 안 들을 때는 또 안 듣고 이런 식으로 다시 돌아오더라고요. 그거를 알면 육아의 키 포인트를 잡은 거예요. 이렇게 내려갔다가 다시 올라온다는 거를 기억해야 돼요. 그래서 '얘가 지금 말 안 들을 시기구나.'라고 체념하고 언젠가 다시 고점으로 올라올 시기를 기다리면서 포기할 건 포기하는 거죠.

아침에 정신 없이 바쁘시네요.

네, 그렇게 아침에 바쁘게 출근해서 8시 40분에 딱 맞춰서 저희 반에 오고 수업을 해요. 저희가 (코로나 때문에) 쉬는 시간이 5분이에요. 그래서 정말 바쁘게 움직여요. 35분 수업하고 5분씩 쉬니까. 오전을 그렇게 쭉 보내고 나면 어느 순간 점심시간이 되어 있어요. 밥 먹고 애들 보내고 조금 내일 수업 준비하고 제 업무 처리하다 보면 2시 40분이 돼요. 요새는 몸 상태가 좀 안 좋으면 2시 40분에 퇴근해서 집에서 조금 쉬다가 애들을 픽업하러 가고요. 평상시에는 동학년 선생님들과 같이 논의할 게 있으면 학년 연구실에서 일을 하고 수업 준비를 하다가 3시 15~20분에 퇴근을 해요.

예전에 비해 더욱 규칙적인 일과를 보내고 계시는 거네요.

네, 오죽 규칙적이면 저희 첫째가 아침이 되자마자 '엄마 또 이제 어린이집 가?' 하더라고요. 애들도 맨날 같은 데를 가구나 인식을 해요,

신기하게. 맨날 눈 뜨면 어린이집 가고 엄마가 데리러 오면 밤이 되고. 요새는 해가 빨리 지니까요. 오늘 아침에 옆 반 선생님을 만났는데 보험 회사에서 우리를 엄청 좋아한다면서, 사고날 일은 없는데 돈은 꼬박꼬박 납부를 잘하니까 그렇다는 얘기를 했어요.

✎ 참교사 김열정?

호기심과 의욕이 많다고 하셨는데 교육활동에도 에너지와 의욕을 많이 보이시는 것 같아요.

제가 도전하는 것을 좋아하고 그러다 보니까 '교실에서 찾은 희망'을 계속 했어요. 그게 있다는 걸 알고부터는 계속 했거든요. 첫 해에는 노래에 맞춰서 아이들이 가사에 맞는 그림 그려서 뮤직 비디오 만드는 거 있잖아요. 그걸 했는데 애들 그림으로 편집하고 이런 걸 제가 좋아하고 거기에 관심이 있는 것 같아요. 그리고 방송반을 맡으면서, 교장 선생님께서 의뢰해서 한 거긴 하지만 UCC 제작도 하고 직접 편집한 영상도 많고요. 6학년 할 때는 '교실에서 찾은 희망' 응모로 상을 받기도 했어요. 저는 뭔가를 했을 때 성과와 보람을 되게 잘 느끼는 편이고 그걸 정말 좋아해요. 저 자체도 자기계발하는 걸 좋아해요. 서적도 자기계발서 좋아해요. (웃음) 또 새로운 정보를 아는 걸 좋아해서 맘카페 등에서 검색도 많이 해요.

선생님의 열정교사 원동력은 무엇인가요?

제가 일반 회사에 들어갔어도 워커홀릭이었을 것 같아요. 전 그런 사람인가봐요. 일 자체를 좋아하고 성과내는 걸 좋아하고 일을 함으로써 보람을 느끼고 '하고재비*' 성격이에요. 기질 자체가 가만히 못 있는 성격인 것 같아요.

열정교사나 참교사라는 말을 들을 때 어떠세요?

뭔가 저한테는 어울리지 않는 말이라고 생각해요. 아직까지는 참교사라고 하기엔 거리가 멀고 배울 점도 많아요. 주변에 부장님들이 쌓아오신 교직 경력을 보니까 저는 이제 갈고 다듬는 수준이지 의욕만 넘친다고 다 참교사는 아니라고 생각해요. 저는 아직 저경력 교사고 2급 정교사일 뿐이라고 생각합니다. 그냥 호기심이 많을 뿐이지요. 그걸 애들한테 잘 전달해야지 참교사라고 생각해요. 아직 전 미흡하고 상담도 많이 배워야 될 것 같고 마음을 잘 알고 헤아려주는 것도 더 배워야 할 것 같아요.

누군가는 쉬엄쉬엄하라고, 참교사처럼 힘들게 하지 말라고 하기도 할텐데요.

음. 저희 직업 자체가 아이들을 대상으로 하다 보니 대강해서는 안되는 직업이라고 생각해요. 부단히 자기계발을 해야 된다고 생각해요. 동학년 선생님들 보니까 계속 바뀐다는 게 맞더라고요. 해마다 업무가 조금씩 바뀌고 있어서 "내가 예전에 이 업무를 했다고 해서 지금 잘할 수 있는 게 아니다." 그런 말씀을 하세요. 그리고 그런 선배 선생님들 또한 연수를 들으시면서 끊임없이 자기계발을 하시더라고요. 오늘도 우리 학년부장님께서 공문을 보시더니 "이거 신청을 해봐야겠다." 하시길래 제가 이렇게 얘기했어요. "부장님, 근데 이거 하시면 가정통신문도 나가야 되고 일도 많아질텐데 힘드시겠어요. 귀찮은데 왜 하세요~" 장난식으로 이렇게 얘기하니까 "그래도 가정통신문 만드는 것 쯤이야, 뭐." 하시면서 아이들한테 워낙 좋은 물건으로 수업할 수 있어서 좋은 체험, 코딩 학습이 될 것 같다고 말씀하시는 걸 보고 '대단하시구나, 난 아직 멀었구나.' 느꼈어요.

그런 정도는 되어야 참교사라고 생각하시는 거예요?

네. 그 정도 경력에 아이들을 대하는 것도 능숙하게 하시고 마음도 잘 헤아려 주시면서, 내 입장에서 귀찮을 수 있어도 아이들 입장에서 생각해서 내가 좀 번거롭지만 하는 그런 열정과 마음? 따뜻한 마음이요.

선생님이 지향하시는 앞으로의 교사도 그런 선배 선생님들의 모습과 일치하나요? 선생님이 지향하는 교사상이 궁금합니다.

저는 일단 자녀가 있기 때문에 자기계발하는데 조금 시간적 제한이 있긴 하지만, 제가 지향하는 것은 아이들 마음이 안 다치는 것이에요. 아이들이 교사나 주변 친구로부터 마음을 다치지 않는 그런 반을 만들고 싶어요. 계속적으로 강조했듯이 자기 자신을 스스로 사랑할 줄 알고 조건을 달지 않는 그런 아이들로 천진난만하고 행복하게 자라줬으면 좋겠어요. 개인적으로 제가 조금 더 배워보고 싶은 건 영재교육이에요.

영재에 관심이 있으세요?

아니오. 영재교육원에서 일을 할 수 있더라고요? 해보고 싶어요.

그걸 왜 하고 싶으셨어요?

학교를 다니면서 영재교육원에 또 취직을 하는 거더라고요. 일단 페이를 받으니까요. 성과가 있잖아요. 또 그거를 아무나 할 수 있는 게 아니잖아요. 공문을 읽어보니 관련 연수도 들어야 하고 관련 업무도 맡았어야 되더라고요. 그래서 이런 것들을 클리어 해나가는 그런 재미가 있을 것 같아서요.

역시 성과주의(?)시네요!

저는 목표가 있으면 재밌어요. 지금 코딩 연수도 듣고 있는데 앞으로는 그런 선생님들을 많이 필요로 하는 시대가 되지 않을까 싶어서요. 미리미리 자기를 개발해놓으면 언젠가 쓰일 거라고 생각하기 때문에 저는 좀 준비를 시켜놔야 된다고 생각합니다.

✎ 내게 교직이란

선생님이 교사로서 성장이나 보람을 느낄 때가 언제인가요?

아직 완벽하게 보람을 느끼지는 못했는데 일단 잔잔하게 느끼는 것은 학생들이 저로 인해서 학기 초에 비해서 나아진 모습을 보일 때요. 학생의 성장을 통해서 보람을 느낄 것 같고, 그 다음에 저 자체로서 보람을 느낄 때는 학생들과의 관계를 잘 유지할 때예요.

학생들과의 관계를 유지하는 게 학기 초에는 쉽지만 친해지면 친해질수록 어렵더라고요. 어쩔 땐 풀어주다가 어쩔 땐 잡아야 되는데 친해질수록 통제하는 게 힘들어지니까요. 너무 저에 대한 걸 많이 보여주면 애들이 선생님을 간파해서 더구나 요새 애들은 그런 쪽으로 빠르니까 제 머리 위에 서 있는 양상이 펼쳐져요. 그게 너무 힘들어요. 아이들 마음 알아주는 것도 힘들고, 1년을 잘 이끌어가는 것도 힘들고. 하지만 앞으로 경력이 쌓이다보면 점점 더 잘 해 나가지 않을까, 노하우가 생기지 않을까 싶기는 해요.

선생님께 교직은 어떤 의미인가요?

교직. 옛날의 저 같았으면 직업적인 의미가 더 클 것 같은데, 결혼 후 육아를 하는 지금 저에게는 '저를 온전히 보여줄 수 있는 창구' 같은 의미예요. 저를 보이는 자아실현 공간 같아요. 예전엔 교직을, 천직이라고도 하지만 어쨌든 직업의 일종으로 봤을 것 같아요. 어딜 가나 제가 김열정으로서 자리에 서잖아요. 절 소개할 때 어디를 가나 "김열정입니다." 했었는데, 아기를 낳고부터 '누구 누구 엄마, 누구 어머니'로 불려요. 제가 퇴근을 하는 순간 누구의 엄마가 되잖아요. 그런데 여기 학교에 왔을 때는 '김열정' 선생님으로 설 수 있으니까요. 저는 어딘가에 소속된다는 거 자체도 좋고, 저를 저로서 다른 동학년 선생님들과 대할 수 있다는 게 좋고 사람들과 사회적 관계를 맺을 수 있는 것도 좋아요. 그런 저를 발산할 수 있는, 소통할 수 있는 장소인 것 같아요.

온전히 자기 자신으로 선다는 게 정말 와닿아요. 커피 테이크아웃해서 출근길을 운전해서 가는 그 순간이 가장 행복한가요?

그 느낌이 예전과 다른 게, 일단 어디 안전한 공간에 우리 아이들을 맡겨놓고 나설 때부터 기분이 매우 좋아요. 안심이 되는 안전한 공간이고 이제 내가 애들을 책임져야 한다는 부담감을 내려놓을 수 있거든요. 나 혼자 독립된 공간에 있다는 그 자체가 너무 홀가분한 마음이 들어서, 정말 그 시원한 마음이 너무 좋아요.

올해 학급이나 학교에서는 어려운 점이 없으세요? 올해 교직의 어려움은 무엇인가요?

딱히. 딱히 없는데요. 제가 언뜻 생각나는 것은 수준별 지도를 하는 게 어려운 것 같아요. 지금 학군이 좋은데도 불구하고요. 학군이 좋으면 보통 다 잘하는 학생들이 많잖아요. 한두 명이 조금 힘든데 다른 학교는 오죽할까 싶은 생각이 들기도 하고요. 이렇게 수준별 차이가 많이 나는데 잘하는 학생들은 항상 먼저 끝났다고 하고 못하는 학생들은 아직도 하고 있고 그럴 때 내년에는 어떻게 이 아이들을 이끌어가야 할지, 먼저 끝내는 친구들이 저는 더 고민스러워요.

66

떠나가야 될 때가 언제인지
그때쯤 되면
가닥이 잡히지 않을까 싶어요.

혹시 육아를 하는 상황이 선생님이 느끼는 교직의 어려움을 다르게 했나 그런 점도 궁금하네요.

그런데 육아가 그렇게 큰 건 아닌 것 같은 게, 학교라는 공간이 모든 인간을 다 다루잖아요. 모든 사람들은 다 학교를 거쳐야 하니까요. 그렇게 여러 종류의 사람들을 만나다 보니까 어떤 학부모를 만나냐, 어떤 학생을 만나냐, 어떤 동학년 선생님을 만나냐, 어떤 업무를 맡느냐, 어떤 관리자를 만나냐 이런 게 중요해요. 운도 크게 작용하죠. 저는 올해 모든 박자가 잘 맞았어요. 물론 업무가 힘들긴 하지만 그래도 잘 헤쳐나가서 아주 큰 어려움은 없어요. 하지만 교사라는 직업이 걱정스러운 건 매년 이것들이 다 바뀌기 때문이에요. 내년에는 또 몇 학년, 어떤 학부모, 어떤 학생, 어떤 관리자, 어떤 업무를 받을 지 모르니까요. 그래서 한 분야를 자기계발해두어도 다른 직종들처럼 진득하게 써먹거나 전문가가 되기가 조금 힘든 것 같아요. 다루는 대상들 자체가 바뀌니까. 교직의 어려움은 누구를 만나는지의 운이 크고 육아하는 상황이 좌지우지하는 건 아니라고 할 수 있겠네요.

올해 업무가 힘드셨을텐데 일 많이 한 것에 대해 그래도 긍정적이시네요? 혹시 승진 생각 있으세요?

제가 당직날 교감 선생님과 얘기 나눈 적이 있는데, 어쩌면 시험을 통해서 되는 교감에는 관심이 있어요. 전 시험을 좋아해요. 시험을 통해서 좋은 성적, 결과를 얻는 걸 좋아합니다. 예전에 경남에 있을 때 학교에서 한 명 가야하는 연수가 있어서 제가 갔어요. 알고보니 그게 교감 승진하는데 필요한 점수를 주는 시험이었던 거예요. 근데 제가 거기서 1등을 했거든요. 그러니까 저는 1등 하는 게 좋아요. 제가 노력해서 결과 얻는 걸 좋아하고 시험을 좀 잘 치는 스타일이에요. 그래서 자신이 있기 때문에 만약에 시험쳐서 되는 교감이면 한번 도전해보지 않을까 싶기도 해요. 아무 생각이 없다가 교감 선생님이 "시험 통해서 해도 된다." 말씀하시는 걸 듣고 어느 정도 관심이 좀 생긴 상태입니다.

1등 중독자라고 하겠습니다. (웃음) 성과내는 걸 좋아하면 은연중에 반 아이들을 볼 때도 모범생을 좋아하고 그런 성향이 있지는 않으세요? 엄마의 입장이니 다르려나요?

그런데 저는 결혼을 나쁜 남자랑 했거든요. 그러니까 좀 나쁜 남자 애들, 장난꾸러기나 나쁜 애들을 좋아해요. 오히려 말 안 듣는 애들이 밉지가 않아요. 그리고 좀 장난 걸고 싶은 애들 좋아해요.

성과를 좋아한다고 그런 건 아닌 걸로. (웃음)

네, 아닙니다. (웃음) 오히려 그냥 마음 맞는 친구가 저는 좋더라구요. 제가 1등하기 좋아한다고 1등을 예뻐하는 건 아닙니다.

앞으로 교직생활에 임하는 바에 대해 몇 가지 묻고 싶어요. 선생님이 정말 원하는 것이 있다면 뭘까요?

일단 무사히 연금을 타는 것. 저는 연금까지 타는 것을 목표로 하고 있습니다.

앞으로 어떤 부모이자 어떤 교사가 되고 싶으신가요?

아이들의 마음을 잘 알아주는 부모가 되고 싶고 긍정적인 생각을 할 수 있게 도와주는 부모가 되고 싶어요. 그리고 학생들에게도 자기 스스로를 존중할 수 있도록 옆에서 도와주는 교사가 되고 싶어요. 학생들이 지쳐 있기 때문에 쉽게 짜증을 내는데, 그런 것보다는 서로 칭찬을 해주고 긍정적인 사고를 할 수 있게, 제 자녀에게 바라듯이 긍정적으로 세상을 바라볼 수 있도록 도와주는 교사가 되고 싶습니다.

그리고 1년이 지나갔을 때 뭐 하나라도 저에게 배운 것이 있으면 좋겠어요. 학생이 저를 생각했을 때 '아, 이 선생님 덕분에 이거는 나아졌다.' 예를 들어 '이 선생님 덕분에 내가 시는 좋아하게 되었어.' 아니면 '이 선생님 덕분에 내가 글씨 쓰는 거를 연습해서 글씨체가 많이 좋아졌어.' 그 친구가 훗날 학창 시절을 돌아봤을 때 꼭 하나 정도는 그 친구의 기억에 남았으면 좋겠어요.

그러기 위해서 어떤 도움이 선생님한테 필요한지, 혹은 교직 환경에서 바뀌었으면 하는 점이 있는지 말씀해주세요.

이 부분은 교직 환경에서 해줄 수 있는 건 딱히 없는 것 같아요. 개인적인 차원인 것 같아요. 저는 제가 상담을 받음으로써 많이 좋아졌거든요. 제가 경남에서 근무할 때 상담 연수를 받기도 했는데 기법은 배웠지만 실제적으로 아이들의 마음을 헤아리는 그런 걸로는 이어지지가 않더라고요. 제가 출산을 하고 직접적으로 제 삶의 연륜이 쌓이고 경험들이 쌓이다보니까 자연스럽게 나타나는 거지 배우려고 해서 배워지지가 않더라고요. 자기가 인생에서의 어른이 되어야지 자연스럽게 그런 것이 드러나고 나오지 않나 싶어요. 어쩔 수가 없는 것 같습니다.

굳이 말하자면, 선배 교사와의 그런 멘토링 시간? 그렇지만 이걸 또 업무로 만들고 성과를 내는 걸로 하면 안되고요. 모여서 편안하게 얘기하고 허심탄회하게 이야기하는 그런 시간. 그런 거라도 있으면 아무래도 배울 점들이 있으니까요. 동학년 내에서 선배 교사와의 그런 시간들이 중요한 것 같아요.

선생님은 지금 동학년 내에서 그런 편안하고 허심탄회한 선배교사와의 대화 시간을 많이 갖고 계세요?

저희는 전담 시간을 활용하거나, 아니면 온라인 수업 기간엔 동학년끼리 같이 수업 준비를 하는 분위기라 저도 함께 동참했죠. 궁금한 것이 많아서 당시에 질문을 많이 했는데 친절하게 알려주셔서 쉽게 적응하고 따라올 수 있었습니다.

✎ 클로징

선생님은 교사를 언제까지 할 생각이세요?

제가 교사라는 것에 보람을 느끼고, 해야겠다고 느낄 때까지 해야 할 것 같습니다. 왠지 그 정도 연륜이 쌓이면 제가 그만둬야 된다는 느낌이 올 것 같아요. 선생님들도 말씀하시더라고요. "이제 학부모한테 힘에 부친다, 애들하고 나이 차이가 너무 나서 이제 이 애들하고는 서로 교감이 안 될 것 같다."고요. 그런 말들을 듣다 보니 시 구절처럼, 떨어질 때를 아는 그런 낙엽들처럼 제가 떠나가야 될 때가 언제인지 그때쯤 되면 가닥이 잡히지 않을까 싶어요. 저는 그런 한계에 부딪혔을 때 그만두고 싶습니다.

육아 퇴근 후
학교로 출근합니다

지금이 두 번째 학교지만 가르친 해로는 3년차시잖아요. 다음 학교에서는 어떤 모습이 되어 있을 것 같나요?

다음 학교에서는 일을 너무 잘하고 있을 것 같습니다. 1급 정교사에, 연구도 내년부터 계속 확정일 것 같으니 쭉 해왔을 것이고, 업무도 지금 공문서를 많이 다루는 업무를 하고 있으니까 그 정도 되면 공문서는 만능일 거고요. 다음 학교에서는 아이들하고의 관계만 어느 정도 답을 찾았다면 잘 하고 있지 않을까 싶습니다.

인터뷰6

작년엔 진짜
죽을 뻔했어

 극한 담임
황눈물 선생님

"

무엇보다 교직이
싫어졌다는 거?
교직이 정말 싫어졌어요.

인터뷰어 _ 정휘범

첫 학교 내내 고학년만 맡아오다 처음으로 4학년 담임을 맡은 황눈물 선생님. 기대감과 함께 3월을 시작했지만 한 해를 마칠 즈음에는 다시는 떠올리고 싶지 않은 상처만 한가득 얻고 말았다. 2020년 7월 세차게 비가 내리는 어느 날 오후에 선생님의 '진짜 죽을 뻔했던' 경험을 그의 교실에 마주 앉아 되돌아보았다. 선생님의 무너졌던 한 해의 아픔에 우리의 힘들었던 하루하루를 겹쳐 발견할 수 있지 않을까.

황눈물 선생님의 교실

2020년 7월 12일 오후 3시

작년엔 진짜
죽을 뻔했어

🎤 <u>**오프닝**</u>

첫 학교인 여기에 언제 발령이 났어요?

2015년 4월 1일 자로 발령이 났었어요. 중간 발령이라서 그 해는 기간으로 안 치더라고요. 그래서 6년 차인데 아직도 첫 학교에 있어요.

6년 차면 여러 번 담임을 했겠어요.

첫 해 때는 3, 5학년 음악 전담을 했었고, 그 다음 해부터 쭉 담임을 해서 지금 다섯 번째 담임이에요. 5학년, 6학년, 5학년, 4학년, 2학년.

올해 2학년 됐을 때는 너무 싫었어요. 제가 앞 지망에 쓴 학년도 아닌데 받아서 기분 안 좋았는데, 지금 생각해보면 애들과 힐링하라는 뜻인 것 같아요.

✎ 작년 반의 어려움

4학년을 보통은 되게 좋은 학년이라 생각하잖아요. 작년에 4학년 받았을 때 기분이 기억이 나요?

저는 전 해 5학년 할 때도 애들이 힘들었어요. 그리고 그전에 6학년 애들도. 아, 쭉 그냥 힘들었구나. 첫해 때에만 애들이 좀 좋았고 6, 5가 다 힘들었기 때문에 4학년으로 내려가면 애들이 좀 예쁘겠다는 기대감이 있었죠. 근데 보통은 4학년이 경합인데, 경합이 아니더라고요. 얘네들이 꼬리표 달고 온 애들이라는 소문을 듣고서는 조금 두렵기도 했죠. 왜 아무도 안 썼을까? 평범하진 않겠다.

나쁜 예감은 틀리는 법이 없던데... 작년을 어떻게 기억해요?

애들이 정말 보통이 아니다. 일단 딱 떠오르는 것은, 너무 분노 조절이 안 되고 공격적이고 감정이 폭발했어요. 폭언, 폭행 같은 폭력적인 일이 많았어요. 그게 보통은 반에 한두 명, 많아도 두세 명일 텐데, 얘네는 절반 정도가 그런 느낌이었고요. 그런 애들이 모여 있으니까 필연적으로 자주 싸웠어요. 너무 자주 싸운다는 거. 작년 반의 어려움 하면 생각나는 건 싸우는 모습. 그게 떠올라요. 애들은 당연히 싸우면서 크잖아

작년엔 진짜
죽을 뻔했어

"

너무 잦은 싸움에 따라오는
저의 감정이란 지침이죠.
지친 상태.

요. 그럴 수 있다고 머리는 생각하는데 제가 감정적으로 소모가 너무 컸어요. 너무 잦은 싸움에 따라오는 저의 감정이란 지침이죠. 지친 상태.

두 번째는 못 된 애들. '내가 어떻게 해야 되지?' 싶었어요. 도대체 어디서부터 손을 대야 될지 모르겠다, 어디서부터 가르쳐야 될지 모르겠다. 어떻게 가르쳐야 될지도 모르겠다는 무력감. 가르쳐도 나아지는 것 같지 않은 상황.

애들이 어떤 이유로 그렇게 자주 싸웠어요?

인성적인 면에서 못됐다는 생각이 들었어요. 당연히 상대방이 기분 나쁠 이간질이나 뒷담화를 하는 거예요. 대표적으로 권력자인 애가 한 친구를 그렇게나 따돌렸어요. 무리 지은 친구들을 이용해 따돌리는데, 정작 자기는 그 애랑 친한 척하며 같이 놀더라고요. 애답지 않게 지능적이죠. 욕하고 때리는 게 아니라 머리를 쓰면서...

영악하다 싶었겠어요. 그런 애는 일당백이죠.

그 애와 친해지고 싶은 애들이 많으니까 다른 친구들을 '꼬붕'으로 부렸어요. 빵셔틀까지는 아니더라도 자기가 놀 사람이 필요하면 불러서 같이 놀고, 필요 없을 때는 싫다며 때린다고 그러고. 그런 모습이 참 못됐다 싶었어요. 애들 사이의 그런 문제가 자기들끼리 해결이 안 되면 결국 담임한테 들어오잖아요. 그렇게 되면서 힘들어졌죠.

작년엔 진짜
죽을 뻔했어

그리고 애정 결핍인 아이. 가정의 문제로 애정 결핍인 애가 있었어요. 힘들기도 했지만, 그 애는 마음이 좀 짠했어요. 내가 여유가 있어서 사랑해 줄 수 있었으면 더 좋았을 텐데... 그런 생각을 해요. 제가 사랑을 듬뿍 주면 그 애는 선생님한테 정말 잘 보이려고 했거든요. 그리고 자기를 누가 툭 건드리면 짜증 낸다는 걸 스스로 알고, 자신도 그거 너무 싫다고 했어요. 참지는 못하지만 자기 상태를 아는 거죠. 원래는 대상이 아닌데 제가 사제 멘토링에도 넣어 주고 위클래스에도 연결해줬어요. 그래도 다른 싸움을 중재하느라 온전히 그 애를 지도해줄 수 없었던 게 안타까워요.

그런 애들이 몇이나 있었어요?

이런저런 힘든 애들을 세어 보면... 탑 클래스는 세네 명? 그리고 '힘들다 진짜~' 하는 애들이 한 일곱 명. 합치면 열 명 정도.

힘든 아이들이 그렇게나 많으면 수업 진행도 잘 안됐을 텐데. 수업 땐 어땠어요?

제 수업이 보통은 PPT를 중심으로 진행되고, 플러스 모둠 활동이에요. 그런데 모둠 활동이 안되는 거예요. 자기들끼리 상호작용이 돼야 되는데, 싸우느라 그게 안 되니. 제대로 모둠 활동을 했던 마지막 기억이 여름이에요. 그 이후로는 모둠 활동만 하면 싸우니, 나중에는 과학 실험

같이 꼭 해야 하는 것 아니고는 거의 모둠 활동을 안 했어요. 학년말로 갈수록 그냥 개별 활동만 했죠. 어떻게 될지 뻔하니까.

수업 시간에 전체를 대상으로 훈계하고 화내는 경우도 갈수록 많아졌어요. 그러니까 수업도 제대로 안 될 때가 많죠. 제 성향이 수업을 준비 없이는 못 하는 스타일이에요. 대단한 게 아니라도 하다못해 인디스쿨의 PPT라도 다운을 받아놔야지 마음이 편해요. 그러니 수업마다 짜놓은 게 있는데 그걸 진행을 못 하는 거죠. 수업 준비를 할 때는 희망을 가지고 하다가 본 수업 때는 '아, 안 되겠다. 이거 이 활동 못 하겠다...' 이렇게 되는 경우도 많고. 뜻대로 못한 게 많죠.

언제부터 그랬어요, 3월부터?
한 4월부터 싸움은 자주자주 있었던 거 같아요. 6, 7월에는 진짜 애들이 미친 듯이 많이 싸웠고. 그래서 1학기부터 너무 힘들었던 거 같아요. 2학기부터는 거의 수업이 진행이 안 됐어요. 진도만 바쁘게 나가도 시간이 모자랄 정도로. 매일 1시간은 싸움을 중재하거나 훈계하는데 써야 했으니까요.

작년엔 진짜
죽을 뻔했어

그때 마음이 어땠는지 기억나요? 진도는 밀리는데 수업이 진행이 안 될 때.

그럴 때는 계획한 게 있는데 못 하니까 짜증 나고. 저는 제가 계획한 대로 실행해야 맘이 편한 사람인데 그게 안 되니까 그런 것도 좀 답답하고.

학부모들은 좀 괜찮았어요?

아까 말한 무리의 한 장난꾸러기 아이 학부모와 상담을 한 적이 있어요. "우리 애를 (무리를 이끄는) 그 친구랑 안 놀게 하고 싶은데 그럴 순 없지 않느냐. 그런데 그 애가 너무 심해서 우리 애도 나쁘게 변하고 안 좋은 행동을 하는데, 자기도 너무 고민이다."라고 했어요. 저도 참 뭐라고 말해야 될지 모르겠더라고요.

(무리를 이끄는) 당사자의 어머님은 바쁘신 거 같더라고요. 지방에 내려가 계시고 할머니 할아버지가 아이를 돌보시는 것 같았어요. 가정에서 잘 관리가 안 되는 거죠. 형제 사촌들이 우리 학교에 많이 다녀서 듣게 된 건데, 집에서 서로 승부욕을 엄청 자극한대요. 형제끼리 엄청 비교하고. 이건 담임이 어찌할 수 있는 영역은 아니잖아요. 집에서 할 부분이지. 그런 게 영향을 많이 끼치는구나 싶었죠.

힘든 애들이 반에서 절반 정도라고 했죠? 그럼 다른 애들에게는 어떤 마음이 들었어요?

갈등은 배움의 기회가 된다고들 하잖아요. 처음에는 교육적으로 활용할 수 있는 기회라고 생각을 했어요. 그런데 갈수록 미안함이 커졌어요. 왜냐하면 수업이 안 되니까. 진짜 열심히 하는 예쁜 애들, 초롱초롱한 눈으로 참여하는 여자애들도 지쳐가는 게 보였어요. '선생님 또 힘드시겠다.' 이렇게 생각하는 눈빛. 고마우면서 미안한 게 제가 힘들어 보일 때, 뭐 특별한 날 아닌데도 여자애들이 편지를 써올 때가 있었어요. '너무 힘들어 보이신다 힘내라.' 이런 식으로. 근데 그런 애들한테는 더 미안하죠. 게네들 참 성숙하다 싶어 고마우면서도 또 마음 쓸 여력은 없고...

진짜 4, 5월까지는 그렇게 노력했는데 나아지는 기미가 없으니까 나중에는 생각이 '또? 또 저 녀석이네? 너네 둘이 또?' 이렇게 되는 거예요. 너무 지치죠. 시작도 하기 전에 지쳐요. 제가 여유가 점점 없어지는 게 제일 큰 문제였던 거 같아요.

1학기부터라면 1년 내내 힘들었을 텐데, 몸은 괜찮았어요?

방학이 정말 얼마 남지 않은 학년말에 결국 병가를 썼어요. 겨울방학 2주일 전 쯤 아이들이 싸우는 일이 최고조에 달했어요. 교감 선생님이 그때 저를 도와주려고 수업도 들어오시고 훈계도 하시고. 그게 저한테 엄청 스트레스였나봐요. 그런 스트레스가 아주 최고치에 달했는

작년엔 진짜
죽을 뻔했어

데, 제일 안 좋았던 건 그런 상태였다는 걸 스스로가 몰랐다는 거죠. 제가 그 정도로 힘든 줄 몰랐어요.

병가를 쓰던 날, 또 애들이 크게 싸움이 났어요. 어쩌다가 친구들 단톡에 "우리 반에 이런 애들 있어."라고 얘기하게 됐어요. 친구들이 "정말 말도 안 되는 상황이고 너 당장 병가 써야 해."라는 그 말에도 영향을 받았고, 그렇게 반응하는 친구들의 얘기를 다시 돌이켜 보니까 교실과 나의 상황이 진짜 정상이 아닌 거 같았어요. 그리고 내가 나아지고 싶어도 스스로는 할 수 없겠다. 우선 얘네를 안 보는 게 좋겠다. 내가 얘네를 더는 못 보겠다. 정신과도 가고 상담도 받아야겠다.

하지만 병가를 쓰는 과정이 스트레스의 최고봉이었어요. 그 과정이 힘들었죠. 교감 선생님의 답정녀 태도. 이해와 지원이 없는 개입과 지시. 특별 대우해 주는 듯한 생색. 그리고 듣지 않고 자기 생각만 말하는 강요. 그런 꼰대스러움의 총집합이 저를 미쳐버리게 만들었어요.

저도 예의 없게 대하긴 했죠. 정상인 마음 상태가 아니었잖아요. 저도 잘한 건 없지만 그분의 꼰대스러움이 너무너무 오래 간 거 같아요.

교감 선생님이 수업에 들어오신 건 도움이 됐어요?

저는 그때 더 기분 나빴어요. 반에 매일 한 시간씩 2, 3주 정도 수업에 들어오셨는데, 애들이 그럴 때는 말 잘 들잖아요. 애들도 한 시간쯤 참는 건 할 수 있죠. 한 시간 보는 거랑 하루 종일 보는 거랑 같나요. 제가 느끼기엔 애들의 심각한 진짜 모습을 못 보셨다 싶어요. 애들도 분위기 봐가면서 떠드니까. 그래서 더 기분 나빴어요.

그리고 제가 해 오던 학급 운영 철학이 있는데, 너무 상충되는 말씀들을 하셨어요. 예를 들어 교감 선생님이 애들에게 칭찬을 막 하면서 "이렇게 2월까지 잘하면 교감 선생님이 피자 쏜다!" 그러시는 거예요. 그러고 쏘지도 않고. 나중에는 진짜 우리 반 애가 "선생님 피자 안 사주세요?" 그랬어요. 저는 먹을 것으로 꾀는 거 싫어서 애들한테 평소에 사탕도 안 주거든요. 애들은 '교감 선생님은 왜 이렇게 얘기하고, 담임쌤은 왜 저렇게 얘기해?' 이렇게 생각했을 것 같아요.

교감 선생님의 어떤 이야기가 힘들었어요?

저의 자존심이 완전 무너졌던 순간들이었어요. 그렇게 하지 말고 이렇게 해 보라는 말 있잖아요. 내 이야기는 듣지도 않고. 그렇게 안 해 본 게 아닌데. 학급 규칙을 만들어보라나? 이미 매주 아이들과 만들고 있는데? 정말 정말 이 실정에 맞지 않는 조언. 그런 것들이 저를 미치게 만들었어요. 도와주려고 그러신 거겠지만, 너무 답답했죠.

마치 내가 애들을 제대로 못 잡아서 그런 거라는 뉘앙스가 힘들었어요. 한 애가 책상을 쾅 치는 걸 교감 선생님이 보셨어요. 저한테 "선생님이 혼내시는 거 봤는데 너무 애들 감정을 다 받아주면 안 돼요."라고 말씀하시며 선생님이 더 강하게 얘기해야 된다시는 거예요. 애들에게 세

66

지금도 모르겠어요.
이게 좋은 방법인 것은
알겠는데...
그때 내가 어떻게 해야
했는지.

게 얘기 안 해서 그렇게 된 거라는 입장이었던 거죠. 제가 화내는 거 못 보셔서 그래요. 저는 이미 세게도 정말 많이 지도했었거든요.

전혀 스타일이 맞지 않는 처방들이었네요. 병가 때는 시간을 어떻게 보냈어요?

병가가 일주일이었던가? 뒤에 바로 방학이 이어졌어요. 우선 고향에 내려가서 3, 4일 있었어요. 학교랑 연관성이 없는 고향 친구들 만나면서 거의 집에서 지냈죠. 이 학교와 서울을 잊을 수 있도록. 그리고 정신과 상담 가고.

정신과 상담은 좀 도움이 됐어요?

상담이 참 좋았어요. 교원들한테 필수로 제공되어야 할 서비스가 아닌가 싶을 정도로. 그렇게 되면 정말 좋겠어요. 이제 교권보호에 상담 지원이 있다고 하더라고요. 더 확대되어서 직접적으로 힘들어하시는 선생님뿐만 아니라 모두가 1년에 한 번은 의무적으로 했음 좋겠어요. 드러나지 않아도 마음에 상처가 남는 선생님들이 많을 거예요. 그리고 저경력 선생님들. 자기 기준이 안 서 있는데 주변 선생님마다 말이 다 다르잖아요. 혼란스럽잖아요. 그래서 더 자신의 말을 할 데가 필요하지 않나.

작년엔 진짜
죽을 뻔했어

✎ 여러 가지 노력

1년 동안 이런저런 지도 방법을 애써봤을 것 같아요. 효과가 보이는 건 없었어요?

서클 활동은 교실 공동체를 위한 마지막 보루 같은 거였어요. 문제 해결을 위해서 3월부터 시작한 서클 활동을 그래서 끝까지 했어요.

1학기 때는 조금은 의미 있는 변화? 그런 것도 보였죠. 그 애의 행동이 나아지기보다는 주변 아이들이 걔를 바라보는 시선이 좀 달라졌어요. '그냥 걔가 이상해.' 이게 아니라 공감해주려 하고 이것이 우리의 문제라고 받아들이는 게 뿌듯했던 순간 중의 하나거든요.

그런데 갈수록 잘 안됐고 학년말에는 형식만 남았어요. 한 사람이 한 발언권을 얻는 경청과 존중이 원칙인데 너무 떠들고... 듣기가 안되면 아무것도 안되잖아요. 그래서 서클이 사실상... 왜 경청해야 되는지 매번 얘기하고, 토킹스틱을 사용하는데도 자꾸 말 끊고, 들어주지 않고. 결국에는 화내고 잔소리 하는 거로 끝나니까. '이게 진짜 너무 의미가 퇴색된다.' 싶어서 마음이 안 좋았어요. 11월쯤에는 계속 그랬던 거 같아요. 나중에는 그때그때 못 했던 게, 만약 수시로 했다면 정말 하루 종일 서클만 했을 것 같아요.

하면서도 이거 이래도 계속해야 되나 싶었겠네요.

저도 일관성이 떨어졌어요. 주변의 헷갈리는 조언들이랑 저의 힘든 상태 때문에 계속 그 기조가 바뀌었죠. 주변에서 "걔 그러는 거 다 받아 주면 안 된다. 기분 나쁘다고 해도 반응해 주지 마. 받아 주니까 끝이 없어."라는 말을 많이 들었거든요. 그리고 나도 힘드니까 그렇게 되고. 그러니까 효과가... 정말 지금 생각하면 그게 정말 안 좋았던 거 같아요. 그렇게 바꾼 게.

지금도 모르겠어요. 이게 좋은 방법인 것은 알겠는데 내가 어떻게 해줘야 나아지는지. 그때 내가 어떻게 해야 했는지.

학급 규칙도 아이들과 자주 만들었다고 했었죠?

주 1회 학급 회의가 한 해 동안 도전한 것 중 하나예요. 민주적으로 자기들 의견으로 규칙도 만들면서 하려고 했는데 잘 안된 게 아쉬워요. 얘네가 4학년이라 그런지 처음에는 일단 회장들도 미숙했고 진행이 힘들었어요. 안건 내고 실천사항 정하는 것만 했어도 40분이 부족한데, 거기다가 부서에서도 의견 내고 그런 걸 하려다 보니까 시간이 늘 부족한 거예요.

그리고 자리를 부서별로 앉혔거든요. 근데 싸우고 딴짓하고 집중을 못 하더라고요. 조정을 해도 싸우는 애들이 열 명쯤 되니까 어떻게 붙여놓아도 마찬가지인 거예요. 자리 짜는 의미가 없어요. 늘 싸우고 그거 중재하다 저도 화나고.

초기에는 우리 반 벌칙이 없었어요. 욕하면 시 두 번 베껴쓰기 정도? 그런데 애들이 이상하게 자꾸 벌칙을 만들자고 그래요. 자기네들도 우리 반에 트러블이 많은 걸 알고, 이게 싫었나 봐요. 그렇게 벌칙을 만들자고 해서 만들긴 했는데, 제가 이건 너무 힘들 것 같지 않냐고 해서 조절하고, 조절한 벌칙도 걔네들한테는 힘들었어요. 스스로가 무더기로 걸리는 그런 기준 있잖아요. 수행하기도 너무 힘든 것. 의도하지 않은 방향으로 갔죠.

학년말에는 교감 선생님이 수업을 보시곤 규칙을 애들 의견 말고 딱 선생님이 새로 만들어서 하라고 하셨어요. 그럼 그 말을 또 무시할 수 없으니까 애들이랑 같이 정한 규칙이 무의미해지는 거죠. 그러니까 학급 회의도 의미가 없어지고.

회의가 2학기가 되어서는 형식, 절차는 익숙해졌는데 뭔가 내실이 있었는지는 좀... 부서 활동은 제 욕심이었던 것 같아요.

아이들 상담할 일도 엄청 많을 수 밖에 없었겠네요.

싸움을 중재할 때 갈등 당사자들을 수업 시간이면 애들 뭐 시켜놓고 복도로 부르고, 쉬는 시간이나 점심시간에는 남겨서 불러서 해결을 했어요. 그런데 나중엔 너무 많으니까 다 해결 못 하는 거예요. 다음 날로 자꾸 막 밀렸죠.

제가 좀 그래도 애들 감정을 알아차려 주고 공감해 주고, 그다음에 아이의 감정이 좀 가라앉으면 부드럽게 걔도 납득할 수 있을 만한 해결책을 제안하는 걸 매해 많이 해왔어요. 그래서 나름 그런 걸 잘한다고 생각을 하는데, 근데도 너무너무 많으니까 힘들더라고요.

지금 생각하니 진짜 상담을 안 한 날이 없어요. 저는 쉬는 시간이 없었어요. 빨리 해결될 거 같은 라이트한 싸움은 쉬는 시간 10분 안에. 남겨야겠다 싶은 싸움은 하교 후에 얘기를 하고. 어떤 땐 관련자가 8명이라면 도서실에 학급 아이들을 넣어 놓고 상담하고. 이런 식으로 집단 상담, 개별 상담. 아까 그 못된 애 같은 경우, 애정 결핍인 애 같은 경우는 좀 깊이 있는 개별 상담 필요한 거 같긴 한데 그렇다고 남기기도 좀 그렇고... 그래서 점심시간에 한 20분 저기 복도 끝에서 하고 그랬죠.

쉬는 시간이 없었네요. 수업하고 상담하고 수업하고 상담하고 밥 먹고 상담하고.

개별 상담도 많았죠. 아까 말했던 무리를 이끄는 아이도 엄청 자주 했어요. 걔가 회장도 했었거든요. 회장 부르듯 티 나지 않게 불러서, "너 솔직히 말해도 되니까 이런 적 있니?" 왜냐면 제가 또 다른 반에서도 걔에 대한 민원을 받았거든요. 그 애가 솔직하게 얘기는 하는데 이게 교육이 되고 그러진 않았어요. 뒤에 또 그런 게 반복되니까.

아이들이 저와 관계가 나빴던 건 아니라고 생각해요. 자기들끼리 너무 관계가 안 좋았죠. 그리고 '이번에는 이런 일이었는데 해결됐고 또 다른 문제가 생겼어.' 그런 것도 아니고, 똑같은 문제가.. 같은 문제가 계

"

털어놓고 얘기할 사람은
없다고 생각했어요.
저에게 물어보지도 않았고.

속해서 생기니까 많이 힘들었죠. 왜냐면 '전에 했던 상담이 무슨 의미가 있나?', '얘가 그 이야기를 이해는 했었나?' 이런 생각이 드는 거예요.

🎤 주변의 도움

관리자나 부장 교사가 도움이 되진 않았어요?

교감 선생님과는 좀 전에 말한 것처럼 병가를 쓰는 과정에서 스트레스의 최고봉이었어요. 학년부장님 같은 경우에는 뭐라고 말하지 않는 스타일. 늘 듣는 스타일이시거든요. 질문도 하지 않고 그냥 듣고만 계시는 스타일. 그래서 '이렇게 해보면 어때요?' 이런 건 없었어요.

동학년 선생님들과 이야기를 나눠봤을텐데.

동학년 분위기가 끈끈한 편은 아니었어요. 동학년마다 분위기가 다르잖아요. 저는 엄청 끈끈한 동학년도 해봤고 개인주의적인 동학년도 해 봤는데, 작년에는 다 각자 하는 분위기였어요. 그리고 교실 배치 구조가 연구실이 뚝 떨어져 있어서 자주 모이질 않았어요. 주 1회 딱 동학년 회의 시간에만 모였는데, 그때도 나눔을 많이 하지는 않았어요.

작년엔 진짜
죽을 뻔했어

그리고 발언권의 비중? 교실에서 요새 어떻고 이런 얘기를 제가 할 비중을 못 가져봤던 것 같아요. 물어봐 주는 사람도 그렇게 많지도 않았고.

2학기 땐 학교에 소문이 났잖아요? 그 후로 얘기를 하기는 하는데, 그때도 뭔가 철학들이 다 다르시고. 예를 들어서, 고경력 선생님은 좀 무섭게 하시는 스타일. '애들을 그렇게 봐주면 안 된다. 더 세게 해야 된다.' 이렇게 하셨어요. 그리고 한 명은 신규. 한 명은 경력이 많으신 선생님이셨었지만 중간에 그냥 퇴직하시고. 새로 오신 선생님은 상황을 잘 모르시고. 그리고 부장님은 아무 말 안 하시고.

조언의 방향이 다 다른 게 혼란스러웠을 것 같아요.

마음은 모두들 안타까우셨을 거예요. 제가 이렇게 힘들다는 걸 나중에 알게 되고 나서는 옆 반 선생님께서는 "내가 대신 들어가 줄까?"라며 한 시간 대신 들어와 주셨어요. 무섭게 분위기 잡고 애들을 혼내주셨죠. 근데 그건 그냥 일회성이고 오래 안 가죠. 그래서 제가 털어놓고 얘기할 사람은 없다고 생각했어요. 저에게 물어보지도 않았고.

좀 숨통이 트일 만한 사람들이 학교에 있었어요?

수업나눔 모임이요. 유일하게. 거기서는 저에게 학급이나 수업이 어떤지 먼저 물어봐 주고, 또 제가 얘기도 할 수 있는 분위기예요. 수업나눔 선생님들과 친하니까 모임뿐만 아니라 개인적으로도 얘기할 수도 있고.

✒ 생활에 남긴 영향

이런 경험이 일상생활에도 영향을 줄 것 같아요. 퇴근한다고 그 일이 사라지는 게 아니니까.

일상생활의 어려움은 이게 크죠. 이제 뭘 해도 좀 재미를 못 느끼게 나 자신이 변했다는 거? 한번 그렇게 우울한 일을 겪고 나서 그런지, 이제 쉽게 다시 침체되는 것 같아요. 근래에는 제가 재밌는 것, 새로운 것도 많이 시작하거든요? 그런데도 집에 혼자 있으면 축 쳐지고... 영향이 여전히 있는 거 같아요.

진짜 자존심이 정말 많이 상했어요. 작년엔 그것과의 싸움이었던 거 같아요. 우리반 애들한테 받는 피드백도 자존심 상하고, 관리자의 피드백도 자존심 상하고.

그리고 뭔가 여유가 좀... 학급 애들이 아니더라도 개인적인 인간 관계에서 다른 사람의 감정을 받아 주는데 여유가 많이 없어져요. 내가

작년엔 진짜
죽을 뻔했어

지금 막 터질 것 같으니까... 예를 들어, 친구가 많이 힘들어서 저한테 전화할 때, 이야기를 들어 주고는 있지만, '아 언제 끝나, 나도 피곤해 죽겠는데...' 이런 식이 돼요. 예전에는 진심으로 공감해줬는데.

무엇보다 교직이 싫어졌다는 거? 교직이 정말 싫어졌어요. 그리고 '나를 돌보는 게 무엇보다 중요하구나.'를 깨달았죠. 전에도 알았겠지만 나를 실제로 돌보는 건 잘 못 했던 거죠.

스트레스가 상당했을 텐데... 그동안 어떻게 풀었어요?

스트레스를 못 푼 것 같아요. 그래서 병이 난 것 같아요. 남자친구가 취준생이었으니 거기서도 제가 그걸 받아주는 입장이었죠. 그리고 저는 부모님한테도 기대는 편은 아니에요. 평소에도 가족들한테 다 털어놓고 그러지는 않거든요. 그래서 쌓인 거 같아요.

작년 생활을 떠올려보면, 제가 비건을 시작한 때이기 때문에 그냥 장 봐서 집에서 혼자 요리해 먹고 그런 걸로 제 생활을 꾸려 갔던 거 같아요. 스트레스가 엄청 풀리는 건 아닌데, 그래도 제가 유일하게 생각을 붙일 거였죠. 채식 공부를 하고 다큐멘터리랑 책 찾아보고 내가 요리해서 몸으로 실험을 해보고.

해소할 창구가 별로 없었네요.

작년의 어려움 중에 이것도 진짜 큰 거 같아요. 힘든 걸 힘들다고 말하지 못한 것. 힘들다고 말하고 다니는 걸 좀.. 좀 더 했어도 됐겠다 싶

"

요즘은 일에 대한 생각을
많이 해요.
직업, 경력, 소명.

어요. 상황을 주변에 좀 알리기도 할걸. 나름 했지만 부족했었어요. 제가 힘들다는 말을 하는 스타일이 아닌가 봐요. 친구들한테도 힘든 얘기는 잘 안 하니까요, 그런 거. 그리고 퇴근하면 '입 밖에도 내기 싫다.' 이렇게 돼요. 퇴근해도 해소가 되지 않잖아요. 그러니까 퇴근해도 힘들었죠. 그냥 묻어 두는 거고, 다음 날 출근하면 그대로 있잖아요. 그래서 정말 출근하기 싫고. 아침이 오는 게 싫었어요. 월요일이 너무 끔찍하고.

그럼 지금은 어떻게 하는지 생각하면, 사실 아직까지도 제가 스트레스 푸는 방법을 잘 모르는 것 같아요. 제 상태가 그냥 뭘 해도 재미없는 상태? 그런 때가 가끔 올 수 있잖아요. 근데 이게 작년을 기점으로 만성적으로 변한 느낌. 한번 크게 확 지쳐서 에너지가 안 나오는 건가? 아직 회복이 제대로 안 됐나 싶기도 하고. 좀 그럴 때가 있어요.

✎ 교사 정체성에 남긴 영향

> "수업이 교육을 지원하는 수단이라면 목적은 무엇이냐. 바로 교육의 목적은 '바람직한 성장(삶)', '개인의 행복과 의미 추구', '시민 공동체의 일원으로서 참여'이다."
> _포스트 코로나 교실에서 교사의 지향점. 2020. 6. 17.

선생님이 쓴 글 중에 되게 공감이 갔던 문장이에요. 작년 선생님의 삶에 이런 면을 발견할 수 있는지 궁금해요. 교사로서 바람직한 성장이 있었나요?

올해는 코로나19 때문에 애들과 수업 자체를 몇 번 안 해서 크게 체감이 되지는 않는데, 전에는 제가 막 화내거나 혼낼 상황이 발생을 하면 그 자체가 너무 힘들었어요. 그 감정도 힘들고 저도 화가 나고... 감정적으로 너무 잘 동화가 되니까. 무엇보다 힘든 건, 머릿속에 '화내는 방법은 안 좋은 방법' 이게 너무 강하게 박혀 있어서, 안 좋은 방법을 지금 쓰고 있다는 죄책감이 엄청 컸어요.

그런데 이게 좋은 건지는 모르겠지만... 뭔가 이전만큼 감정 동화는 안 되고 죄책감은 덜한 것 같아요. 아직도 여전히 화내는 게 좋은 방법은 아니라고 생각을 해요. 근데 이제 좀 마음이 가벼워지는구나 싶어요. 그렇다고 '마구 화내야지' 뭐 이런 건 아니고 좀 덜해졌다는 정도. 이게 부작용일 수 있겠지만, 혼내는 거 자체에 대한 마음의 장벽이 좀... 무뎌졌다고 해야 하나? 그런 걸 수도 있고. 좀 시간이 지나야 알 수 있겠네요. 올해는 아직 얘네들끼리의 갈등이 안 나타났어요. 그게 나타나야 그런 상황에서 올해는 어떤지 알 수 있을 것 같아요.

*PDC_ 학급긍정훈육법

가르치는 자신의 행복은?

행복이라. 작년의 학교 상황에서는 행복하지 않았고 의미도 좀 찾기 힘들었고.

학교 공동체의 일원이라는 느낌을 얻는 순간이 있었나요?

수업나눔공동체는 저한테 작년이 제일 의미가 컸던 거 같아요. 제가 힘들 때 유일하게 얘기할 수 있고, 진심으로 제 상황을 이해하고 공감해 줄 수 있는 사람들이랑 대화를 한다는 거?

그런데 수업나눔 말고 이 학교 선생님들 네트워크 있잖아요. 동학년이라든지 관리자, 또는 아이들과 나의 교실 공동체에서는 외로웠던 거 같아요. 뭔가 내가 참여했다든지 나를 참여시켜줬다든지 그런 느낌은 안 들었던 거 같아요. 참여 아닌 참견.

수업나눔공동체에서랑 이 학교 공동체에서랑 너무 정반대로 느껴졌어요. 그래서 진짜 '이런 말을 할 수 있고 들어 주는 사람들과의 공동체가 중요하구나.' 깨달았죠. 그 점에 있어서는 제가 더 수업나눔 모임을 소중하게 여기게 됐다는 것에 있어서 엄청 바람직한 성장이겠죠.

자아를 찾기에 참 어려운 시간이었지만, 아이들을 대할 때 '내게 이런 모습이 있구나.'싶은 자신의 고유함이 있다면?

저는 사적인 나와 선생님으로서의 내가 정말 차이가 많이 나요.

선생님으로서의 저는 완전 엄격한 어버이 자아. 묵묵하고 혼을 내는 것 같은 엄격함이 아니라, 저 자신이 완벽한 모범이 되려고 엄청 노력하는 편이거든요. 저는 그게 아닌 다른 모습이 안 돼요. 완벽한 모범을 보이는 선생님만 제가 할 수 있는 선생님인 것처럼. 그래서 수업 준비도 철저하게 하고 애들한테 말하고 행동하는 것도 엄청 조심하는데, 사적인 저랑 완전 다른 거죠. 아이들한테 재밌는 사람은 아닌 거 같은 느낌? 수업 시간에 준비 안 된 농담을 하다 보면 실수도 할 수 있으니 농담도 준비해서 해요. 실수를 최소화하려고 하거든요. 이렇게 노력하는 과정과 태도. 이런 걸 보이는 게 중요하다고 생각을 해요. 그런데 좀 과할 때도 있어요.

올해 우리 교실의 모토가 있어요. '실패하고 실수하는 교실을 만들자.' 애들한테도 하는 말이지만 저한테 하는 말이기도 해요. 애들한테 "그럴 수도 있지. 실수로부터 배우는 거야."라고 말은 해요. 왜냐하면 이게 제가 생각하는 모범적인 선생님이니까요. 그런데 저 자신한테는 그렇게 못 하는 거예요. 나에 대한 엄격함을 조금 내려놓는 연습을 하는 때가 되고 있네요. 그래도 잘 안되죠.

맞아요. 많은 교사들이 그냥 자기 스타일이 굳어져 가지, 자기를 돌아보는 걸 어려워해요.

요즘에 제 화두가 성찰과 연결이거든요. 코로나로 집에만 있으니까. 쓰고 성찰할 때가 많아요.

작년엔 진짜
죽을 뻔했어

"

다음 학교에선 소신을 갖고
나만의 학급을 끌고 나갈 수
있을까?

'선생님도 친구처럼 자유롭게'는 진짜 제 스타일은 아닌가 봐요. 애들이랑 친하게 싶었던 로망이 있는데, 안 되더라고요. 이제는 받아들이기로 했어요. 이게 나구나. 그리고 이게 나쁜 것도 아니고.

작년이 교사로서의 전문성을 고민하는 시기도 됐을 것 같아요.

네, 그런 시기가 되었죠. 요즘은 제가 일에 대한 생각을 많이 해요. 직업, 경력, 소명. 내가 하고 있는 이 일이 목적과 가치가 있나? 이런 고민도 많이 하게 되고.

작년의 경험이 전문성과 어떻게 연결되는지는 잘 모르겠어요. 일에 대한 생각을 많이 하는데 분명 작년의 경험도 영향을 줄 텐데. 이렇게 성찰하는 계기가 된 것도 도움이라고 생각할 수 있을 것 같고.

직접적으로 그렇게 연결이 되기는 어려운 한 해였나 보네요.

고민은 했죠. 전문성을 의심하는 말을 많이 들었으니까. 내가 하던 거에 대해서 다시 생각해 보자? 잘 되는 게 있고 잘 안 되는 게 있잖아요. 이때까지 내가 잘 해왔다고 생각하는 게 있고 고치고 싶은 것도 있는데, 그런 것들 한번 생각해 보게 됐죠.

근데 아직 좀 혼란스러운 거 같아요. 나는 애들이랑 1:1 관계, 아이들끼리의 관계가 중요해서 상담, 서클 같은 활동을 중시하는데, 이게 중간에 변질되었으니... 그럼 어떻게 이끌어 가야 되지? 이런 생각도 했고.

작년엔 진짜
죽을 뻔했어

마침 겨울방학 때 1정 연수를 받으면서 오히려 '그래 이게 맞네! 내가 해오던 게 틀린게 아니네.' 이런 생각을 많이 했어요. 그전에도 그런 생각은 많이 했는데, 교실에서 정작 안 통했었으니까. 어떻게 해결해야 될지는 모르겠지만, 그래도 큰 틀은 맞다. 정신과 상담에서도 비슷한 얘기를 들었거든요. '세부적으로 나의 감정이나 스트레스받는 그런 지점들을 다듬어 나가는 시행착오는 겪을 수 있지만, 그렇게 민주적으로 운영을 하려는 방향은 맞다. 그런 고민을 한다는 자체가 훌륭하다.' 그런 거였어요.

그래서 여러 기법들을 좀 시도를 해 봐야겠다 싶어요. PDC*같은 게 매력이 있다, 실험을 해봐야겠다고 느꼈죠. 그래서 올해 PDC로 적용하려고 했는데 코로나19가 터졌어요.

✎ 클로징

교사를 언제까지 할 생각이에요?

평생 이 일을 할 거라고 생각하진 않아요. 평생 할 수도 있고, 나의 탁월함이 가치 창출로 이어지고 매력을 느끼는 일이 있다면 언제든지 그 일을 할 용의가 있어요. 생계 유지도 해야겠지만 내가 잘하는 것, 가치 있고 의미 있는 것에 참여한다는 느낌을 받는 일? 교육이든 아니든 그런 게 있다면 언제든 교사를 그만둘 수 있을 것 같아요. 아직까지 구체적인 실체를 생각해 놓은 건 없어요. 그러니 앞으로 교사를 5년을 더 할지 20년을 더 할지 모르겠어요. 평생 할 수도 있어요. 따박따박 들어오는 수입도 중요하니까.

저는 교직이 매우 가치 있는 일이라고 생각해요. 정말 너무 중요하고 가치 있고 필요한 일이고 적성에도 맞아요. '싫다, 싫다' 이러고 '다른 일을 하고 싶다, 그만두고 싶다.' 말을 많이 했는데, 돌이켜보면 저의 적성이랑 잘 맞거든요.

근데 문제는 하나, 재미가 없어요. 더 재밌는 일이 있을 것만 같은. 왜냐면 제 어린이 자아를 못 보이니까. 애들이랑 있을 때의 저는 엄격하니까. 제 본 모습을 못 보이니까 그게 조금... 그래서 재미가 없나? 싶기도 해요. 완전한 '나다움'으로 아이들 앞에 설 수 없으니까. 그래서 자꾸 딴 걸 생각하게 되는 것 같아요.

마지막 질문이에요. 두 번째 학교에서는 어떤 모습이 되어있을 것 같은지?

두 번째 학교에 가면 우쭐해지려는 뽐뿌가 오나 봐요. 1정 연수도 받았겠다, 학교도 한 학교 있어 봤으니까 내가 뭘 좀 아는 것 같은? 조심

작년엔 진짜
죽을 뻔했어

해야겠다는 생각을 했어요. 아직 배울 것 투성이니까 겸손해야겠다는 생각을 했고.

두 번째 학교에서 좀 덜 눈치를 보고 내가 학급 운영을 하려나? 저는 주변의 눈치를 많이 보거든요. 내 방향성이 맞다고 생각은 하는데, 그래도 주변에서 다른 말을 하면 좀 흔들려요. 다음 학교에선 더 소신을 갖고 성찰하고 공부하면서 나만의 학급 운영을 끌고 나갈 수 있을까? 이런 희망과 기대? 물론 주변과의 관계는 관계대로 잘하되, 수업의 철학이나 운영은 조금 더 내 의지대로 하면 좋겠다.

제가 교감님과 트러블이 있어 보니까 너무 힘들더라고요. 그래서 저는 꼰대가 부정적이고 막 그랬는데, 스트레스 주는 언행 뒤 그분들의 본심은 나를 위한 걸 수도 있으니까 최대한 관계는 해치지 않는 게 좋겠다는 깨달음이 있었어요.

그분들 이야기는 '그냥 웃으면서 들어 드려야겠다, 그게 맞겠다' 싶어요, 장기적으로 생각했을 때. 저는 올해 2학년 됐을 때도 걱정했어요. 고경력 선생님들이랑만 동학년이 되어 본 적도 없고 어른들을 잘 모실 자신이 없었거든요. 근데 생각보다 제가 올해 괜찮게 지내고 있어요.

다음 학교에선 더 잘 할 수 있겠죠. 아주 상또라이만 안 만나면.

나눔 질문

이 생각하는
통의 교사'의
기준은
무엇인가요?

교사의 전문성이란
무엇일까요?

동료와 질문지를 가지고
서로에게 물으며 대화를 나눠보세요

동료와 질문지를 가지고
서로에게 물으며 대화를 나눠보세요

우리의
이야기로
만들어갑니다

과
된다고
요?

저도
교사는
처음이라

스스로 혹은 주변의 선생님과 함께 인터뷰 질문을 바탕으로 묻고 답해보세요. 자신과 서로를 더 깊이 이해하는 시간이 될거예요.

수업 혹은 업무를 준비하는 루틴이 있나요?

당신이 생각하는 '보통의 교사'의 기준은 무엇인가요?

교사의 전문성이란 무엇일까요?

학교에서 부담스럽고 귀찮은 일을 자발적으로 맡은 경험이 있나요?

발령 전에는
어디에서 어떤 모습으로
가르치고 싶었어요?

외로움을 극복하는
나름의 방법이 있다면?

당신의 취미 활동에는
무엇이 있나요?

취미활동이 교사의 삶과
연결이 된다고 느끼나요?

부모로서의 나와 교사로서의 내가
아이를 바라보는 관점은
어떻게 다를까요?

교사로서 보람과 성장을
느낄 때는 언제인가요?

학교 공동체의 일원이라는 느낌을
얻는 순간이 있었나요?

학생들을 대할 때
'내게 이런 모습이 있구나'싶은
자신의 고유함이 있다면??

선생님은
왜 가르치세요?

트리곳트 처음

저도
교사는
처음이라

저도 교사는 처음이라 [개정판]

발행 _2024년 4월 13일

저자 _프로젝트처음 김성은 정휘범 황선영

촬영 _권준호

디자인 _ 김성은 정휘범 황선영

캘리그라피 _ 이효진

펴낸이 _이상수

펴낸곳 _beside books

출판사등록 _제561-2022-000043호(2022. 5. 17.)

주소 _경기도 수원시 영통구 영통로200번길 21

전화 _010-2853-2423

인스타그램_ instagram.com/beside.books

ISBN | 979-11-92865-30-0

인스타그램 <프로젝트 처음> @1stime_teacher